« U... ...RIA – *Epilogue*

« FRANÇOIS LÉVESQUE SIGNE UN PREMIER ROMAN
POUR ADULTES TROUBLANT, UN TRISTE RAPPEL
DU CAUCHEMAR QUE VIVENT TROP D'ENFANTS. »
Voir

« LE MÉCANISME DE LA PEUR FONCTIONNE EN EFFET
À TOUT COUP DANS CE THRILLER. [...]
ARRIVER À MAINTENIR LE POINT DE VUE DE CET
ENFANT DÉSEMPARÉ TOUT AU LONG DES 368 PAGES
EST D'AILLEURS L'UNE DES FORCES DU ROMAN. »
Le Soleil

« ... UNE FINALE, DÉRANGEANTE À SOUHAIT,
QUI DONNE FRANCHEMENT FROID DANS LE DOS. [...]
TROUBLANT ET SOMBRE, *UN AUTOMNE ÉCARLATE* S'INSCRIT
DANS LA LIGNÉE DES ROMANS NOIRS QUI [...] LÈVENT LE
VOILE SUR DES SITUATIONS SOCIALES PERTURBANTES. »
Le Droit

« LE SUSPENSE EST HABILEMENT MENÉ, ET LES
RETOURNEMENTS DE SITUATION SONT BIEN DOSÉS.
ON SE PREND D'INTÉRÊT POUR LA VIE
DE CE JEUNE "HÉROS" DONT LES PÉRIPÉTIES
SONT RACONTÉES AVEC SIMPLICITÉ ET JUSTESSE.
UNE ATMOSPHÈRE INTÉRESSANTE SE DÉGAGE DE CE
ROMAN QUI SOUTIENT L'INTÉRÊT DU DÉBUT À LA FIN. »
CFOU – Le Voyage insolite

UNE MAISON DE FUMÉE

UNE MAISON
DE FUMÉE

FRANÇOIS LÉVESQUE

ALIRE

Illustration de couverture : BERNARD DUCHESNE
Photographie : YAN DOUBLET – LE SOLEIL

Distributeurs exclusifs :

<u>Canada et États-Unis</u> :
Messageries ADP
2315, rue de la Province
Longueuil (Québec) Canada
J4G 1G4
Téléphone : 450-640-1237
Télécopieur : 450-674-6237

<u>France et autres pays</u> :
Interforum Editis
Immeuble Paryseine
3, Allée de la Seine, 94854 Ivry Cedex
Tél. : 33 1 49 59 11 56/91
Télécopieur : 33 1 49 59 11 33
Service commande France Métropolitaine
Téléphone : 33 2 38 32 71 00
Télécopieur : 33 2 38 32 71 28
Service commandes Export-DOM-TOM
Télécopieur : 33 2 38 32 78 86
Internet : www.interforum.fr
Courriel : cdes-export@interforum.fr

<u>Suisse</u> :
Diffuseur : **Interforum Suisse S.A.**
Route André-Piller 33 A
Case postale 1701 Fribourg – Suisse
Téléphone : 41 26 460 80 60
Télécopieur : 41 26 460 80 68
Internet : www.interforumsuisse.ch
Courriel : office@interforumsuisse.ch
Distributeur : **OLF**
Z.I.3, Corminbœuf
P. O. Box 1152, CH-1701 Fribourg
Commandes :
Téléphone : 41 26 467 51 11
Télécopieur : 41 26 467 54 66
Courriel : information@olf.ch

<u>Belgique et Luxembourg</u> :
Interforum Editis S.A.
Fond Jean-Pâques, 6 1348 Louvain-la-Neuve
Téléphone : 32 10 42 03 20
Télécopieur : 32 10 41 20 24
Courriel : info@interforum.be

Pour toute information supplémentaire
LES ÉDITIONS ALIRE INC.
C. P. 67, Succ. B, Québec (Qc) Canada G1K 7A1
Tél. : 418-835-4441   Télécopieur : 418-838-4443
Courriel : info@alire.com
Internet : www.alire.com

Les Éditions Alire inc. bénéficient des programmes d'aide à l'édition de la Société de développement des entreprises culturelles du Québec (SODEC), du Conseil des Arts du Canada (CAC) et reconnaissent l'aide financière du gouvernement du Canada par l'entremise du Fonds du Livre du Canada (FLC) pour leurs activités d'édition. Nous remercions également le gouvernement du Canada de son soutien financier pour nos activités de traduction dans le cadre du Programme national de traduction pour l'édition du livre.

Gouvernement du Québec – Programme de crédit d'impôt pour l'édition de livres – Gestion Sodec.

Dépôt légal : 3e trimestre 2013
Bibliothèque nationale du Québec
Bibliothèque nationale du Canada

© **2013** ÉDITIONS ALIRE INC. & FRANÇOIS LÉVESQUE

10 9 8 7 6 5 4 3 2e MILLE

À ma famille,
À mon chum.

TABLE DES MATIÈRES

*Or ce jour-là, lorsque, m'efforçant de ne pas
regarder la fille, j'avais détourné les yeux vers
la mer, la plage était baignée par un soleil d'automne. Et ce soleil réveilla de vieux souvenirs
enfouis.*

Récits de la paume de la main
Yasunari Kawabata

*Il comprit que l'entreprise de modeler la matière
incohérente et vertigineuse dont se composent
les rêves est la plus ardue à laquelle puisse s'at-
taquer un homme, même s'il pénètre toutes les
énigmes de l'ordre supérieur et inférieur : bien
plus ardue que de tisser une corde de sable ou
de monnayer le vent sans face. Il comprit qu'un
échec initial était inévitable. Il jura d'oublier
l'énorme hallucination qui l'avait égaré au
début et chercha une autre méthode de travail.*

Fictions
Jorge Luis Borges

PROLOGUE

Assis dans un coin du spacieux salon tout bois franc, lambris et caissons, Dominic s'amusait sagement avec ses figurines de *La Guerre des étoiles*. Dans sa tête, il fournissait un dialogue des plus élaboré au mercenaire Han Solo, qu'il tenait dans sa main droite, et au chasseur de primes Bobaphet, qu'il tenait dans la gauche. Ainsi, le gamin de huit ans était le seul témoin de leur affrontement muet. Il fallait bien, car en ce moment, l'heure était au silence.

Calée dans le fauteuil de velours où la mère de Dominic aimait tant lire, la gardienne de ce dernier l'épiait sournoisement en feignant justement d'être plongée dans la lecture de sa Bible. La cinquantaine affirmée, Hosanna portait ses cheveux noirs à la nuque, pleine longueur, et les retenait sur les côtés à l'aide de barrettes foncées. Les ondulations laquées de sa tignasse renvoyaient à une autre époque.

Hosanna était toujours vêtue d'une chemise blanche à col haut, d'un cardigan noir ou marine, et d'une jupe sobre tombant aux chevilles. Des chaussures à talons bas, en cuir, noirs aussi, confirmaient un refus buté de céder au Beau.

Sévère au-dehors comme au-dedans, Hosanna n'inspirait à Dominic que pure terreur.

Comme si elle lisait dans ses pensées, la gardienne referma sa Bible, la posa sur le guéridon qui jouxtait le fauteuil et, sans regarder Dominic, poussa un soupir en secouant la tête.

— Viens ici, dit-elle.

Dominic déglutit. Quelque part dans la maison, un chien gémit.

CHAPITRE 1

LE PASSÉ REVIENT

Vendredi, 21 septembre, sept heures – Dominic se réveilla en poussant un mugissement bovin, les nasaux dilatés. Il était en nage : de la sueur froide, constata-t-il en rabattant le drap.

Encore groggy, il s'assit sur le bord du lit, le dos un peu voûté.

À l'extérieur, les chaudes nuances ocrées de la matinée automnale laissaient présager une journée confortablement tiède. Les bruits de la métropole, lointains mais proches : circulation, sirènes ; bourdonnement urbain…

À trente-huit ans, Dominic Chartier habitait seul, par choix. Lieutenant-détective au Service de police de la ville de Montréal, il socialisait peu mais savait donner le change dans les différentes activités organisées par la fraternité : les tournois de balle-molle, l'occasionnel party d'anniversaire ou de retraite, etc.

On semblait apprécier sa compagnie, ce qui avait toujours l'heur de le surprendre. Qu'on lui eût trouvé de l'humour l'étonnait autant. Derrière ce personnage conçu pour la vie en société, Dominic se jugeait assez inintéressant, voire gris, sans qualités.

Un parcours sans faute après dix-sept ans de bons et loyaux services et une moyenne supérieure d'arrestations inspiraient le respect. Dominic, qui avait été promu deux ans auparavant, n'était pas du genre à pavoiser. Il s'acquittait de son travail avec acharnement et conviction. Son travail, c'était tout ce qu'il avait dans la vie. Et s'il se plaisait à croire que ça aussi, c'était par choix, la réalité était autrement plus complexe.

Son appartement était à peine plus grand que son espace de travail, au poste – il exagérait à peine. Deux pièces et demie, meublées par lui, sommairement du reste : une chambre à coucher fermée et un salon-cuisine ouvert.

À Montréal, les agents immobiliers employaient le terme « coquet » pour décrire ce type de logement sis dans d'immenses pigeonniers dispersés aux quatre coins de la métropole, vestiges de la folie olympique de 1976.

Logé au neuvième étage d'un édifice qui en comptait douze, Dominic jouissait d'une vue imprenable sur… le neuvième étage de l'immeuble d'en face. Mais son appartement était orienté plein sud, quand même. Une fenêtre dans sa chambre et une porte-fenêtre dans le salon, s'ouvrant sur des barreaux puis du vide, assuraient un degré d'ensoleillement élevé. Lequel ensoleillement profitait à la myriade de plantes qu'entretenait le maître de céans. Pour le compte, la seule couleur à émaner de sa personne était selon lui le vert de son pouce.

Deux palmiers, deux cactus géants, un areca, un pied d'éléphant, et, suspendue dans un coin ombragé, une fougère bien touffue formaient une véritable petite oasis urbaine dont Dominic aurait été incapable de se passer, et ce, même si cette mini-jungle le privait, lui, de la lumière du jour. Un vestige d'une enfance passée à l'ombre d'une forêt, sans doute…

Pourquoi pensait-il à cela maintenant ? bougonna-t-il entre deux bâillements, toujours assis sur le bord de son lit. Ah ! se souvint-il. Le cauchemar. Malacourt. Hosanna.

Mais Malacourt était loin, à présent. Et Hosanna aussi. Et c'était très bien ainsi.

Après s'être frotté les yeux et avoir regardé alentour, question de s'assurer qu'il était bel et bien dans sa chambre, dans son appartement, et donc à des années et des lieues de sa gardienne tortionnaire, il se leva, nu, en n'ayant qu'une chose à l'esprit : se faire couler un café corsé qu'il boirait noir. Noir…

Depuis qu'il avait arrêté de fumer trois ans plus tôt — son cadeau à lui et de lui pour ses trente-cinq ans –, Dominic buvait un café de plus l'après-midi en lieu et place de la proverbiale pause cigarette. Il en prenait un le matin avant de partir au bureau, un en arrivant au bureau, un pendant le lunch et, enfin, un en milieu d'après-midi, histoire de couper la journée et de stimuler le reflux gastrique qui l'affligeait depuis des lustres.

Car sous son masque de calme indifférence, Dominic était d'un naturel stressé, voire anxieux. Il avalait d'ailleurs un comprimé d'anxiolytique dès après son café matinal.

En quittant sa chambre, il se prit les pieds dans ses vêtements de l'avant-veille.

— Ciboire ! pesta-t-il en envoyant valser un de ses nombreux pantalons bleu marine.

Il n'avait que lui-même à blâmer, évidemment, mais il était encore beaucoup trop tôt pour se livrer à une analyse autocritique. Chaque chose en son temps.

Après la branlette du réveil sous la douche, Dominic se sécha et contempla son reflet dans le miroir de la pharmacie. Ses traits se précisaient à mesure que la pellicule de buée se dissipait.

Il détourna le regard avant de s'être vu.

La cuisinette de son deux et demie embaumait le café frais. S'il avait tendance à n'acheter que des produits de marques génériques à l'épicerie, Dominic était en revanche intraitable sur la question du café. Pas de camelote, que du bon et du cher.

Adossé au comptoir – il n'avait pas la place pour une table de cuisine et il ne voulait pas s'asseoir dans la causeuse de peur de ne plus vouloir se relever –, il buvait à petites gorgées la boisson chaude, les yeux mi-clos. La chaleur qui émanait du liquide fumant lui chauffait le visage. Instants de paix.

Après avoir posé sa tasse à droite, près de l'évier, de la cafetière et de la cuisinière, il tourna légèrement le haut de son corps vers la gauche. Posé sur la portion « plan de travail » du comptoir dont la dimension n'incitait guère au branle-bas culinaire, son iPad s'illumina lorsque Dominic appuya sur le bouton d'alimentation.

Kiosque à journaux virtuels… manchettes… Commission Charbonneau… Mafia… Construction… Tiens donc…

Rien d'intéressant ou de vraiment nouveau.

Peut-être parce qu'il avait rêvé de son ancienne gardienne pour la première fois depuis plusieurs années, Dominic effectua une recherche rapide et, après une brève hésitation, cliqua sur l'hyperlien d'un journal régional avec lequel il avait grandi, mais qu'il n'avait jamais consulté puisqu'à l'âge qu'il avait alors, celui-ci ne revêtait pour lui aucun intérêt.

Non seulement l'hebdomadaire *Les Faits* existait-il toujours, mais il avait au surplus pris le virage virtuel, constata Dominic en reportant sa tasse à ses lèvres. Il avait à peine formulé cette réflexion un brin condescendante quant à la pérennité inattendue du journal que sa tasse lui échappa des mains en même temps que l'air de ses poumons.

— C'est pas possible, murmura-t-il. C'est pas possible…

La poitrine oppressée, et complètement insensible au café chaud qui imbibait ses bas, Dominic lut puis relut la manchette : *Toujours sans nouvelles de Léanne Saint-Arnaud*. La photo d'une fillette de onze ans accompagnait la dépêche. Une belle enfant noiraude au teint rose et aux yeux couleur noisette, rieurs.

La respiration bruyante et saccadée, Dominic parcourut l'article en diagonale. La petite, domiciliée à Malacourt, près de Nottaway, manquait à l'appel depuis mardi soir, soit depuis plus de quarante-huit heures. De nombreux témoins l'avaient vue passer sur son vélo, mais personne ne semblait trop savoir où elle s'en était allée. Évanouie dans la nature. Envolée.

Comme l'appréhendait Dominic, le journaliste ne manquait pas de souligner plus loin que cette disparition ressemblait étrangement à une affaire similaire survenue trente ans auparavant, presque jour pour jour. Cette partie-là, Dominic n'avait pas besoin de la lire : il ne s'en souvenait que trop.

Il avait à l'époque huit ans (comme dans son rêve, pensa-t-il en secouant aussitôt la tête). Sa mère enseignait la troisième année à l'école primaire de Malacourt. Il s'agissait d'une petite école, l'école Marie-Reine. L'établissement regroupait toutes les années du primaire, de la maternelle à la sixième. Par conséquent, à moins que l'un d'eux doublât, les enfants se suivaient en cohortes homogènes de cinq à douze ans, après quoi un autobus les emmenait à l'école secondaire de Nottaway à une vingtaine de minutes de là. À Malacourt, il n'y avait qu'une enseignante par niveau, plus le professeur d'éducation physique, seul homme du personnel à l'exception du directeur et du concierge.

Diane Chartier, la mère de Dominic, était adorée de tous, aussi ne redoutait-il pas qu'elle lui enseignât le moment venu. En deuxième année – l'année du drame –, il avait eu madame Berthe.

Elle était gentille, madame Berthe. Tout le monde l'aimait, probablement presque autant que la mère de Dominic. Pas très portée sur la discipline, certes, mais comme elle respirait la bonté, les élèves n'éprouvaient guère l'envie de la faire tourner en bourrique.

L'année de ses huit ans, Dominic avait donc les mêmes camarades de classe que les années précédentes. Il y avait trois cliques : ceux qui habitaient à la sortie du village, vers Nottaway ; ceux qui habitaient « en ville », c'est-à-dire dans le village ; et ceux qui habitaient les rangs. À ceux-là s'ajoutaient deux rejets : un témoin de Jéhovah et une Métisse.

Dominic appartenait à la clique des rangs. On ne le taquinait jamais et lui ne taquinait pas les autres, mais s'il était témoin d'une séance d'intimidation, il n'intervenait pas. Enfant, du moins lui semblait-il, il n'était ni courageux ni lâche. Il n'était pas le leader de son groupe (cet honneur revenait à Simon Duclos), mais il n'était pas un suiveur pour autant. Déjà tout jeune, Dominic était… gris.

Peut-être était-ce en partie pour expier cette couardise enfantine, ou en tout cas cette absence de courage, qu'il était devenu en grandissant un redresseur de torts aussi dévoué que redoutable. Voire dangereux.

Sept ans plus tôt, alors qu'il rentrait chez lui après être allé au cinéma (*Sin City*, qu'il avait plutôt aimé), il avait surpris les bruits d'une dispute en s'engageant dans le corridor de son étage. Derrière l'une des portes du neuvième, une femme était manifestement en train d'en prendre plein la gueule.

Sans réfléchir, et sans arme, Dominic avait enfoncé la porte. La première chose qu'il avait vue en faisant irruption dans le petit appartement n'avait pas été l'épouse ou son mari violent, mais leur fille âgée de quatre ou cinq ans, les yeux secs et les joues rouges d'avoir trop pleuré. Recroquevillée dans un coin du salon, elle était le témoin impuissant de la raclée que subissait sa mère.

La suite s'était jouée en quelques secondes à peine. Lorsque Dominic s'était retrouvé devant lui, l'homme, un grand mince musculeux au regard halluciné, en était encore à asséner des coups de pied dans le ventre de la jeune femme couchée au sol en position fœtale. Dominic l'avait empoigné, soulevé, puis jeté par terre.

Aussitôt sur ses pieds, l'homme avait fait mine de revenir vers Dominic qui, l'esprit complètement vide, blanchi par une rage aveugle, lui avait asséné un coup de poing à la mâchoire. Un seul.

Le crochet du droit avait frappé avec une telle puissance que la nuque s'était brisée en se tordant.

L'homme était mollement retombé sur le sol du salon pour ne plus s'en relever. Le craquement des cervicales, les yeux vitreux : il était mort instantanément. Dans sa chute, il avait renversé une boîte de carton. La pièce en contenait quelques-unes. La famille venait d'emménager, avait compris Dominic en essayant de sortir de sa torpeur.

Cinq, six, peut-être dix secondes…

La jeune femme s'était relevée lentement en grimaçant de douleur. Elle avait souri à sa fille, le visage bouffi. Puis elle avait frôlé Dominic sans mot dire, était allée dans la chambre et en était revenue avec un revolver Smith & Wesson 686 tenu du bout des doigts avec un mouchoir. Après s'être péniblement accroupie près du mort, elle avait placé l'arme dans la main droite de ce dernier en la refermant sur la crosse.

— Y disait toujours que c'était avec son gun qu'y m'tuerait, avait-elle murmuré en allant se blottir contre sa fille.

Dominic avait prétexté la légitime défense. La jeune mère avait corroboré, son visage tuméfié n'invitant pas au doute. Personne n'avait cherché plus loin, et la seule tape que Dominic avait reçue avait été dans le dos, et non sur les doigts.

La mère et la fille avaient déménagé peu après, et Dominic aurait été incapable de les reconnaître s'il les avait recroisées. Avant ce jour-là, il ne les avait même jamais vues.

Il repensait à elles, parfois. Et il était alors envahi par un sentiment troublant : celui du devoir accompli en toute illégalité. Plus dérangeante encore était la certitude qu'il aurait probablement agi de même sept ans plus tard.

Oui, il repensait à elles, de temps à autre, à la petite, surtout. À ses joues rougies par les larmes salées. À ses yeux secs et pour toujours traumatisés…

Et parfois, le souvenir de la gamine se superposait à celui de deux autres fillettes dont Dominic ne pouvait qu'imaginer ce qu'elles avaient vu.

Ainsi, cette année-là, l'année de ses huit ans, deux élèves de la classe de Dominic avaient disparu. Après avoir enfourché leurs vélos par un beau samedi d'automne, Agathe Boissonneau et Jacinthe Lussier s'étaient évanouies dans la nature. Envolées elles aussi, comme Léanne Saint-Arnaud. Sans laisser de trace, à l'exception d'une poignée de cheveux maculés de sang coagulé et encore rattachés à un lambeau du cuir chevelu de Jacinthe.

C'était en 1982. À ce jour, nul ne savait ce qu'il était advenu des corps des deux petites filles et de leurs bicyclettes.

Mais ce ne pouvait être qu'une coïncidence, insista Dominic. En effet, le dévoyé responsable du meurtre des deux écolières avait été appréhendé, jugé et condamné, et, pour ce qu'en savait Dominic, il demeurait incarcéré.

Gérard Surprenant, le directeur de l'école Marie-Reine, avait été reconnu coupable des treize chefs d'accusation qui pesaient contre lui, dont celui d'homicide au premier degré, à l'issue d'une délibération d'à peine trois heures du jury.

La découverte d'une paire de petites culottes ayant appartenu à Jacinthe Lussier sous le siège du passager de la voiture de l'accusé avait contribué à donner du poids à la preuve qui reposait essentiellement sur le fragment de cuir chevelu ensanglanté retrouvé coincé sous la partie inférieure du hayon du véhicule. Les analyses étaient formelles : le groupe sanguin était celui de Jacinthe Lussier ; les cheveux blonds bouclés correspondaient également à ceux de la petite.

C'était cet élément de preuve qui avait permis à la Couronne de déposer une accusation de meurtre au premier degré, d'enlèvement, d'entrave à la justice et de dix autres chefs d'accusation moindres, le but avoué étant l'obtention de la longue peine de prison que les citoyens réclamaient à grands cris.

En amont du procès, l'absence de cadavre avait passablement compliqué le travail du procureur, et au final, les accusations déposées ne concernaient que Jacinthe Lussier puisqu'elle était la seule des deux fillettes qu'on pouvait lier physiquement au suspect grâce aux tissus humains, à savoir le fragment ensanglanté du cuir chevelu. En ajoutant l'absence complète de collaboration de Surprenant, qui n'avait démontré ni remords ni repentir, l'homicide au premier degré n'avait finalement pas été difficile à plaider.

Pour Agathe Boissonneau toutefois, point de justice possible, ce qui avait mené à des affrontements disgracieux entre le public et les autorités, celles-ci impuissantes en l'absence totale d'un cadavre et d'une preuve autre que circonstancielle.

Du fond de sa cellule, Surprenant n'avait cessé de clamer son innocence concernant les disparitions. Or, personne, à commencer par le jury, ne s'était montré sensible aux doléances d'un pédophile. Car le fait que l'accusé eût retiré la culotte d'au moins une de ses victimes présumées ne laissait guère place à interprétation. Affaire classée. Celle-là, du moins.

Il ne pouvait s'agir que d'une coïncidence, se répéta Dominic, qui avait été une victime collatérale de cette sombre histoire.

À l'époque, Gérard Surprenant et Diane Chartier venaient de mettre un terme à de très brèves fréquentations. Le premier, qui était non seulement le patron mais aussi le voisin de la seconde, lui faisait une cour timide depuis l'arrivée à Malacourt de la mère de Dominic. Peut-être de guerre lasse, peut-être par pure bonté, cette dernière avait fini par accepter d'aller souper chez lui à quelques reprises, en amenant toujours son fils avec elle. Tout cela avait-il frustré Surprenant ? Nul, sinon lui, ne le savait.

En dépit du penchant de Surprenant pour les enfants, Dominic n'avait pas perdu son innocence aux mains du directeur d'école. Le type ne s'était jamais retrouvé seul en sa présence, de ça, Dominic était certain.

Non, Surprenant n'avait pas abusé de Dominic, mais il lui avait enlevé ce qu'aucun enfant ne devrait perdre : sa maman. Car dans la foulée des disparitions, le directeur avait été interrogé puis accusé dans le cadre d'une autre affaire. Celle-là concernait Dominic directement. Au terme de ce procès-là, malheureusement, l'homme avait été acquitté, faute de preuve.

Le directeur déchu avait-il depuis été relâché pour bonne conduite ? Le cas échéant, s'était-il empressé de se remettre à ses hobbies d'antan ? Quiconque œuvrait dans le milieu constabulaire ou judiciaire savait que le taux de récidive en matière de pédophilie était effarant.

L'estomac noué, Dominic termina sa lecture de l'article. *Gérard Surprenant purge toujours une peine d'emprisonnement à vie pour le meurtre…*

Une coïncidence, alors ? Oui, une coïncidence.

L'instinct de Dominic lui soufflait plutôt que non.

L'avant-midi durant, Dominic contempla son écran d'ordinateur en pianotant machinalement sur son clavier. Il était plongé dans une sorte de léthargie et opérait sur le pilote automatique. Il avait l'habitude de rédiger ses rapports en mode pressé – c'était la partie de son boulot qu'il appréciait le moins –, mais cette fois, c'était du sérieux : il écrivait phrase après phrase sans en avoir la moindre conscience, cochant une case ici, revenant en arrière, corrigeant une coquille. Au moins son français était-il impeccable ; legs, probable, de sa mère institutrice.

À midi, il dut se rendre à l'évidence qu'hormis son café, il serait incapable d'avaler autre chose qu'un comprimé d'anxiolytique. L'air sombre, il quitta son bureau et, saluant un collègue au passage, contourna le comptoir de la réception et sortit du poste de quartier 38, rue Rachel.

Dominic passa devant la caserne 16 du Plateau Mont-Royal, croisa la rue Saint-Hubert, puis traversa de l'autre côté de la rue Rachel pour rejoindre l'entrée nord-ouest du parc La Fontaine. Il suivit l'un des sentiers vers le sud en direction du Théâtre de Verdure et du bassin, espérant qu'une promenade à l'air frais lui aérerait l'esprit, justement. Dans la tête de Dominic, le hamster cérébral tournait dans sa roue sans montrer le moindre signe d'épuisement.

Arrivé à la passerelle, il s'accouda un moment à la rambarde. La semaine précédente, on avait vidé le bassin en prévision des premières gelées qui pouvaient survenir dès le début du mois d'octobre.

Privé de sa couverture lacustre, le lit de gravier exposait ses tristes occupants : bouteilles de plastique et de verre, celles-là généralement cassées, algues vertes séchées, bouts de planches, parapluie brisé, carcasse d'écureuil gonflée et à moitié décomposée… De tout, pour tout le monde.

Pas étonnant qu'il préfère la nature en intérieur, se dit Dominic.

Lorsqu'il se décida à détourner les yeux du triste spectacle de la nature en ville, sa décision était prise.

Son supérieur le couvait d'un œil sceptique. Dominic venait de lui demander l'autorisation de s'absenter pour les trois prochains jours, soit samedi, dimanche et lundi. Il aurait dû avoir congé dimanche et lundi de toute façon, mais il voulait partir sans attendre. Il y avait urgence. Cette nouvelle disparition…

Trois jours. Il disposerait de trois jours pour… pour faire quoi ?

Son supérieur semblait se poser la même question.

— Je regarde ton dossier, Chartier, pis j'vois qu'tu prends jamais tes congés d'maladie, nota le lieutenant Sauvé en désignant son écran d'ordinateur du pouce.

— L'amour me garde en santé, plaisanta Dominic en mode « personnage public ».

— Dis-moi pas ! Comment qu'elle s'appelle, la chanceuse ?

— Les chanceuses, boss. Cette semaine, je sais pas encore, avoua Dominic en accompagnant sa réponse d'un rire gras.

Son patron l'imita aussitôt, son air circonspect effacé de ses traits rougeauds.

Dominic regardait son patron dans les yeux, comme il le faisait d'ailleurs avec tous ses interlocuteurs. Sauf qu'avec Sauvé, cette simple courtoisie s'avérait un peu plus compliquée. En effet, le lieutenant Sauvé avait la main lourde avec la « Grecian Formula[1] » et, à cinquante ans bien sonnés, sa tignasse couleur de jais lui donnait des allures d'Elvis. Celui du milieu des années 1970.

Dominic, comme tous ses collègues, essayait toujours d'empêcher son regard de monter au-dessus de la ligne du front du lieutenant, un bon bougre au demeurant. Son épouse l'envoyait souvent au poste avec des plats Tupperware grand format remplis de sucre à la crème, de *brownies* ou de quelque autre douceur bonne pour la ligne. Quoiqu'avec son entraînement au gym cinq fois par semaine (parfois six en période obsessive compulsive), Dominic était couvert de ce côté. Bref, Sauvé (et sa femme) étaient appréciés du personnel du 38.

Après s'être essuyé les yeux, Sauvé revint à la banque de congés non réclamés de son subalterne.

---

[1] Teinture pour hommes vendue dans le commerce.

— Non, on peut pas dire que t'abuses, continua-t-il en passant une main distraite sur sa tonsure plus dégarnie qu'il ne l'aurait souhaité. C'est ben certain qu'tu peux prendre ta fin d'semaine. T'avais dimanche-lundi… bon ben t'auras samedi-dimanche-lundi. Pas besoin d'aller piger dans ta banque de journées de maladie. J'vais trouver à t'remplacer, y'a pas d'soin. Si j'me trompe pas, y'en a une couple dans l'service qui t'en doivent, justement. Fais juste sûr de m'envoyer ton rapport pour le vol sur Masson, avant d'partir.

— Vous devriez déjà l'avoir, dit Dominic en esquissant un mouvement de la tête vers l'ordinateur de son supérieur.

— Ah! Si y'étaient toutes aussi vaillants qu'toi, mon Chartier, soupira Sauvé comme si tout le poids du monde l'accablait. T'as rien d'autre sur le feu? Ben non, hein? T'as arrêté ton homme hier pis j't'avais pas rien confié d'autre encore, se souvint le lieutenant. Bon…

Puis, après un court silence :

— C'est… c'est rien d'grave au moins, ton affaire?

— Non, assura le lieutenant-détective Chartier. Des histoires de famille. Vous savez c'que c'est, boss.

— Argh! grimaça Sauvé. C'est celles-là les pires. Baptêmes, enterrements, mariages, divorces : rien qu'un paquet d'troubles. Quand on s'est mariés, ma femme pis moi, on voulait faire ça intime. T'sais, quinze-vingt personnes gros max. Ç'a fini qu'on était cent cinquante, bout d'criss. J'te demanderai pas de m'donner des détails. Va, mon Chartier. Pis bonne fin d'semaine pareil.

— Merci, dit ce dernier en se levant. Vous aussi.

Une phrase, puis une autre ; coche une case, revient en arrière, corrige une coquille : l'après-midi finit par finir. Ses rapports terminés, Dominic pourrait partir tranquille.

Il passa la soirée à remplir et à vider son sac de voyage, choisissant un t-shirt, puis se ravisant. Et ainsi de suite avec les chandails et les pantalons. Le seul élément qui demeura dans le sac pendant tout l'exercice fut un paquet de six tubes de comprimés antiacide.

Pas ce t-shirt. Plutôt celui-là. Pas ce jean. Plutôt celui-là.

— Tu pars trois jours ! Reviens-en ! se sermonna-t-il, excédé.

Dominic n'était pas coquet pour deux sous. Rayon vêtements, il était un fervent de la philosophie du confort avant tout. En l'occurrence, sa valse-hésitation « bagagière » trahissait de la fébrilité plus que de l'indécision.

Qu'est-ce qu'il espérait accomplir en retournant à Malacourt ? après toutes ces années ?

Dans son for intérieur, Dominic savait ce qui le rongeait. Il n'avait pas vraiment pris la décision de retourner dans le village de son enfance.

La décision s'était imposée.

Il n'avait pas le choix.

◆

Diane Chartier était arrivée à Malacourt au printemps 1974 avec la promesse d'un poste d'enseignante pour l'automne 1975. Enceinte de quatre mois, elle avait perdu son conjoint peu après avoir appris qu'elle attendait un enfant. Il allait sans dire qu'une jeune (et fichtrement jolie) veuve, enceinte de surcroît, avait de quoi éveiller la sympathie d'une communauté, aussi l'église locale avait-elle offert de loger à prix modique la future institutrice dans une maison inoccupée appartenant à la paroisse.

Et il en avait été ainsi. Dans l'intervalle d'un peu plus d'un an, la future maman avait vécu sur ses économies.

Lorsque Dominic était venu au monde à l'hôpital de Nottaway et que Diane l'avait ramené à la maison quelques jours plus tard, la mère et son enfant étaient d'ores et déjà des habitants à part entière du village.

Une fois entrée en fonction à l'école Marie-Reine, Diane Chartier avait d'office gagné le cœur de ses élèves de troisième année avec ses manières douces, son sourire et sa chaleur. Elle était serviable et attentionnée, surtout envers les cancres : le type même de la maîtresse d'école dévouée à qui l'on dédiait plus tard des romans.

Diane se consacrait volontiers aux activités parascolaires auxquelles elle donnait son temps sans compter : foire automnale, spectacles de Noël et de fin d'année, classe verte, classe de neige...

Jamais très loin, le petit Dominic dormait dans son couffin ou, plus tard, s'amusait sagement dans un coin. Dominic était un enfant particulièrement calme et bien élevé, tout le monde le disait.

À la sortie nord du village, la route formait une fourchette à trois dents : le Rang 1, le chemin des Moulins et le Rang 2, de gauche à droite, respectivement. Dominic et Diane habitaient le Rang 2 dans une grande maison bâtie en plein bois à bonne distance du chemin. On s'y rendait par une longue allée en terre battue bordée de saules pleureurs. Avec les arbres et le sous-bois, de la route, on ne distinguait pas la propriété isolée.

Les quelques fermes dispersées plus loin de part et d'autre du Rang 2 étaient, elles, construites plus près du chemin au milieu de champs défrichés au bout desquels une forêt dense reprenait ses droits.

Vu son look et son emplacement, la vaste demeure de style mixte – un peu gothique, un peu victorienne, plutôt lugubre – avait la réputation d'être hantée. À l'époque de la colonisation de la région, le curé Lesieur l'avait fait construire pour sa sœur, lui habitant comme il se devait le presbytère qui jouxtait l'église, au village.

Pourquoi ne pas avoir logé sa sœur plus près de lui ? s'était-on demandé à l'époque. Au fil des ans, d'aucuns en étaient venus à soupçonner que la sœur du curé était en réalité sa maîtresse, d'où la propriété bâtie à l'abri des regards. La femme de ménage du presbytère alimentait volontiers la rumeur.

Après que la « sœur » se fut suicidée, plusieurs prétendirent l'avoir vue errer autour de la demeure qui, par la suite, servit de maison de dépannage pour les invités de passage, tels contremaîtres, inspecteurs gouvernementaux ou autre, le village de Malacourt ne disposant d'aucun hôtel ou maison de chambres.

En 1976, la paroisse, lasse de gérer cette excroissance immobilière que louait dorénavant Diane Chartier, avait offert à celle-ci de racheter maison et terrain à prix dérisoire.

La mère de Dominic n'avait pas été dupe. En effet, de grosses rénovations s'imposaient. Toiture, fenêtres, fosse septique : tout devait être remplacé.

Malgré cela, elle avait décidé d'acheter. À leur décès, eux aussi peu avant la naissance de Dominic, les parents de Diane lui avaient légué un peu de sous qu'elle avait fait fructifier. En 1980, la dernière traite avait été payée. La jeune femme et son fils ignoraient alors que, deux ans plus tard, un brasier ne laisserait derrière lui qu'escarbilles et ruines fumantes.

D'origine criminelle, l'incendie avait emporté Diane Chartier, vraisemblablement morte asphyxiée dans son lit, puis brûlée. Certain de subir le même sort dans sa chambre enfumée, Dominic avait été sauvé *in extremis* par l'arrivée d'un voisin qui rentrait chez lui après une soirée de poker au village.

Incapable de sortir de sa chambre, Dominic avait sauté par la fenêtre dans les bras du bon Samaritain. Les émanations toxiques avaient toutefois eu le temps de produire leur effet et, aussitôt déposé sur le plancher des vaches, Dominic avait perdu connaissance.

Il était demeuré sous une tente à oxygène pendant deux jours. À son réveil, il souffrait d'amnésie partielle.

Il en souffrait encore trente ans plus tard.

Dans la maison, les planchers de bois franc avaient été aspergés d'essence. Le feu avait été allumé la nuit même de la disparition des petites Agathe Boissonneau et Jacinthe Lussier.

Éconduit par Diane Chartier dans les jours précédents, Gérard Surprenant avait été accusé d'être l'auteur du sinistre, avec tout le reste. En l'absence de preuve, cette affaire-là s'était soldée par un non-lieu.

Dans l'esprit des habitants de Malacourt toutefois, la culpabilité du directeur d'école pédophile ne faisait aucun doute. L'hypothèse retenue par la plupart d'entre eux voulait que Surprenant eût agi ainsi pour faire taire Diane Chartier, qui se doutait peut-être que quelque chose ne tournait pas rond avec son directeur. Du coup, cela aurait expliqué pourquoi cette jeune mère monoparentale n'avait pas donné suite à ses fréquentations avec Surprenant, alors perçu comme un excellent parti.

À l'instar de la nature qui avait horreur du vide, les villages avaient horreur des questions qui demeuraient sans réponses.

Comme ses anciens concitoyens, Dominic avait tenu cette hypothèse pour un fait depuis le sinistre, trente ans auparavant.

Durant cette période, Gérard Surprenant n'avait pas changé un mot de son histoire : il jurait être la victime d'un coup monté.

Et si, tout ce temps, il avait dit vrai ?

◆

Vingt-deux heures. Dominic roulait depuis trois heures. Une demi-heure qu'il avait pénétré dans le Parc… Il faisait noir « comme dans l'cul d'un ours », comme avaient l'habitude de dire les gens du cru. Malacourt se trouvait encore à quatre heures de route. Quatre heures de noirceur.

En gardant un œil devant lui, Dominic fit défiler les albums virtuels sur son iPod branché à la chaîne stéréo de la voiture. Le mouvement rapide de son index sur la surface tactile trahissait un dessein précis.

Une fois arrivé à l'album … *And Justice for All*, de Metallica, Dominic sélectionna la piste numéro quatre puis enclencha la fonction lecture. D'abord diffus, des bruits de mitraillettes emplirent l'habitacle de la berline charbon. Le son du moteur d'un hélicoptère, puis, enfin, la guitare de Kirk Hammett, sobre, implacable.

Déprimante pas à peu près, la chanson *One* demeurait à ce jour l'une des préférées de Dominic.

Rouler dans une réserve faunique, la nuit, constituait une expérience un tantinet inquiétante pour un citadin habitué aux lumières perpétuelles de Montréal. Dominic était certes devenu un « urbain », mais dans son for intérieur, des relents d'une enfance forestière subsistaient. Aussi, pour sombre et solitaire qu'elle fût, la longue traversée du Parc ne lui posait aucun problème.

Pas d'étoiles : le ciel devait être nuageux. L'obscurité était uniforme, opaque, presque liquide. Les phares halogènes perçaient tant bien que mal ses profondeurs, rempart contre les ténèbres absolues…

Dominic avait fait le tour de la section *heavy metal* de sa bibliothèque musicale lorsqu'un panneau vert vint rompre la monotonie du paysage forestier d'une densité presque impénétrable. Trois noms de villes s'y succédaient, chacun accompagné d'une flèche : Nottaway, tout droit, Saint-Clovis et Sainte-Sybile, à droite. La fourche se trouvait à quelques mètres plus loin. Dominic maintint le cap. Au bout d'une dizaine de minutes, un second panneau apparut : « Nottaway – 45 km ».

Le village de Malacourt était situé au-delà, à trente kilomètres passé Nottaway, la ville la plus populeuse de la région avec ses trente-sept mille habitants, peu ou prou. Pour Dominic, enfant, c'était la grand-ville.

Lui n'y avait jamais vécu. À la mort de sa mère, il avait été placé dans différents foyers d'accueil à travers la province. Finalement, une famille de Longueuil, les Dupuis, l'avait gardé de treize à dix-sept ans. Dans les circonstances, il avait eu de la chance : aucun des foyers qu'il avait fréquentés ne lui avait infligé d'expérience perturbante. Pas de mère d'accueil chipie, pas de père d'accueil aux mains baladeuses. Au pire, de la bonté factice motivée par le revenu d'appoint, au mieux, de la bonté désintéressée.

Si l'épreuve du deuil n'avait pas grandi Dominic, elle ne l'avait pas davantage transformé en délinquant. À l'annonce du meurtre de sa mère, au sortir de la tente à oxygène, il avait senti quelque chose non pas se briser en lui, mais s'éteindre ; une certaine vivacité. Un soir d'automne, trente ans auparavant, un enfant d'un naturel secret mais enjoué s'était mis au lit. À son réveil, deux jours plus tard, il avait été vidé de tout potentiel de gaîté.

Désormais gamin introverti, Dominic était devenu un adolescent taciturne. Adulte, il jouait volontiers au clown en public, comme avec son patron, mais cela ne visait qu'à détourner l'attention ; cela lui évitait qu'on le prît trop au sérieux et que, par conséquent, on s'intéressât à lui.

Son école secondaire terminée, Dominic avait effectué sa technique policière au cégep de Trois-Rivières, puis sa formation finale à Nicolet. Par la suite, il avait déménagé à Montréal dans le studio qu'il occupait encore à ce jour.

Il avait travaillé dès l'âge de douze ans, d'abord à couper le gazon des voisins, puis comme pompiste et, enfin, comme assistant paysagiste à transporter des sacs de terre de cinquante livres et à manipuler des dalles de ciment à peine plus légères sur les propriétés clinquantes des nouveaux riches de la Rive-Sud.

Dominic n'avait jamais craint la sueur, au contraire. Des années durant, il s'était évadé – ou gelé – dans les tâches répétitives nécessitant un effort physique. Aujourd'hui, entre les enquêtes et le gymnase, il n'agissait pas différemment.

Il se gara en bordure de la route déserte. Au loin, il distinguait la faible lueur des fenêtres de la première ferme du Rang 2, environ cinq cents mètres plus loin. Le ciel s'était dégagé. La lune était pleine.

En farfouillant dans la boîte à gants à la recherche de sa lampe de poche, Dominic se fit la réflexion qu'il y avait fort longtemps qu'il n'avait vu la voûte étoilée. À Montréal, les lumières de la ville drainaient les cieux de leur poésie.

Après avoir refermé la portière, et armé de sa lampe-torche, Dominic actionna le système antivol intégré au porte-clés, plus par réflexe que par nécessité, puis il fourra son trousseau dans la poche de son jean. Un peu comme pendant le cérémonial du café du matin, il huma l'air, les yeux mi-clos. Il semblait y en avoir plus ici qu'à Montréal, de l'air.

Enfin, il rouvrit les yeux, appuya sur le bouton de la lampe de poche et se tourna vers le petit chemin de terre battue qui s'ouvrait dans le flanc droit du Rang 2.

Soudain moins sûr de lui, Dominic tendit l'oreille.

Seul le bruissement du vent dans les feuilles faisait barrage au silence.

Le lieutenant-détective Chartier eut un fou rire confus, puis il s'engagea dans la longue allée raboteuse que la nature était en passe d'absorber.

Deux roulières s'enfonçaient ainsi dans l'obscurité percée par le faisceau de la lampe, stries tenaces constituant le seul obstacle aux hautes herbes qui poussaient grasses et drues de chaque côté et au centre.

De part et d'autre du chemin privé se dressaient de majestueux saules pleureurs qui formaient un passage voûté que l'on se serait davantage attendu à trouver dans les bayous de la Louisiane que dans le nord du Québec.

Il avait plu. Le sol était encore mouillé. Par l'éclaircie circulaire au centre de laquelle s'était trouvée la maison, la lune déversait une lumière blafarde et froide. Devant Dominic, les vestiges de la demeure : une tache carbonisée sur fond noir ; un salmigondis de bouts de planches brûlés et de verre cassé qui emplissaient le trou des fondations en pierres des champs.

Sur la gauche, l'imposante cheminée qui parait jadis la cloison nord se tenait à présent seule, un amas de ruines pourries appuyées contre elle. Derrière les décombres, en marge de la cour arrière, une serre toute en carreaux de verre et cadres blancs se dressait toujours, survivante du désastre.

En dépit d'un agenda chargé, sa mère y passait de longues heures à soigner ses roses. De cela, Dominic conservait quelques images et réminiscences fugitives. Il avait dû l'observer. Peut-être l'avait-il aidée? D'où ses bonnes dispositions vis-à-vis des plantes?

La propriété était orientée d'ouest en est. Le matin, la lumière éclairait la façade arrière puis la portion sud, où se trouvaient la cuisine et la salle à manger, dès midi, avant d'aller mourir devant la maison.

Il se dégageait des lieux une atmosphère de désespérance alanguie, déliquescente. Et sous l'abandon apparent, quelque chose sommeillait…

Peu enclin à engager son esprit dans cette voie, Dominic fit le tour du cratère, tombeau ouvert d'un triste passé, puis rejoignit la cour arrière, soit la partie dégagée du terrain autour duquel les sous-bois et la forêt montaient une garde serrée. S'il avait continué de marcher vers l'est sur une centaine de mètres, Dominic serait arrivé à la rivière Matshi qui sillonnait une partie de la région. Mais il s'arrêta bien avant, comme au temps où sa mère était vivante. Défense de s'aventurer seul en forêt! Obéissant, il n'avait jamais passé outre une seule consigne.

Dominic était presque arrivé à la serre, qui était en réalité une roseraie, lorsqu'une plainte s'éleva des fondations béantes. Il se retourna, intrigué. La plainte se mua en jappements.

— Obi-Wan? lança Dominic en direction du trou d'où sortit un berger allemand tout couvert de suie.

— Viens, mon Obi-Wan. Viens mon beau chien, l'encouragea Dominic.

Quand l'animal arriva à sa hauteur, tout excité, ce n'était plus un chien mais un chiot, et propre de surcroît.

Un sourire aux lèvres, Dominic se pencha pour le prendre, mais le chiot lui fila entre les doigts et disparut dans les sous-bois en jappant contre quelque rôdeur imaginaire.

— Obi-Wan! cria Dominic. Il faut pas aller dans l'bois! On a pas l'droit!

Puis, pour lui-même:

— C'est dangereux.

Dominic se retrouva ainsi seul à proximité de la serre. Son impression de tout à l'heure se confirma: la roseraie était en bon état, comme si on l'avait entretenue. La peinture blanche des cadrages paraissait presque fraîche. À première vue, aucun carreau ne semblait brisé. Perplexe, il s'approcha.

Arrivé devant la porte étroite, elle aussi constituée de carreaux de verre, Dominic chercha la poignée à tâtons, sa main libre dirigeant le faisceau de la lampe de poche vers l'intérieur.

La lumière bleutée lui révéla des rosiers qu'il n'avait jamais vus si fournis. Les roses rouges et blanches, chaque variété poussant de son côté de la serre, occupaient tout l'espace.

Les doigts de Dominic effleuraient la poignée lorsqu'il suspendit son geste. Sur la gauche, parmi les roses rouges, un mouvement. Les fleurs s'écartèrent d'elles-mêmes…

Sa mère reposait sur un lit de pétales grenat, paupières closes, ses traits harmonieux détendus. Un faible sourire flottait sur ses lèvres à peine peintes. Elle portait une robe bleu clair ornée d'un motif floral discret, en filigrane.

Ballottés par une brise qui ne paraissait souffler que dans la roseraie, des pétales se détachèrent de leurs réceptacles par dizaines et tourbillonnèrent dans les airs avant de se déposer en gerbes légères sur la robe et le visage de la mère de Dominic.

Radieuse, la jeune femme ouvrit les yeux.

Sortie de nulle part, Hosanna apparut au milieu des roses blanches, sur la droite, debout, raide, sa silhouette trapue immobile. Ses yeux brillant d'un éclat mauvais, elle planta son regard dans celui de Dominic puis, lentement, en mesurant bien son effet, elle claqua des doigts.

C'est alors que les pétales qui voletaient encore au-dessus de la mère de Dominic s'embrasèrent tandis que ceux qui s'étaient déjà logés sur sa robe et sa peau se changèrent en tison.

Soudain, la serre tout entière fut la proie des flammes. Des voix jaillirent alors de la forêt, distinctes mais unies.

— Tellement jeune !
— Tellement belle !
— Pauvre enfant !

Le chœur funèbre se tut soudainement. À l'intérieur de la roseraie, l'incendie s'était complètement résorbé. Roses rouges à gauche, roses blanches à droite, intactes.

Hosanna avait disparu. Sa mère aussi.

Dans le cercle de verre délimité par la circonférence du faisceau lumineux de la lampe de poche de Dominic, une fissure apparut, puis une autre. Brusquement, tous les carreaux de la serre se fissurèrent.

Au loin, un cri retentit, comme un beuglement.

Dominic rabattit le couvre-lit et ouvrit les yeux simultanément. Il avait compris qu'il rêvait juste avant de se réveiller. La posture lasse, il se leva et gagna la fenêtre de la chambre d'hôtel. L'œil endormi, il écarta légèrement le rideau et regarda la rue, deux étages plus bas.

Devant le bar d'en face (*La taverne Champion*, ça ne s'inventait pas), deux types s'engueulaient en s'infligeant l'un à l'autre des sobriquets imagés impliquant mères et sœurs, en déclinaisons humaines et porcines. C'était l'écho de leur dispute qui avait arraché Dominic à son sommeil. Le plus costaud des deux gars, et le plus ivre, possédait un timbre de voix aigu. À une heure normale, c'eût été drôle. À trois heures du matin, ce ne l'était pas.

L'air résigné, Dominic revint sur ses pas en grattant sa barbe de deux jours, puis les couilles, après quoi il reposa la tête sur l'oreiller en essayant d'oublier qu'il se trouvait dans un hôtel miteux de Nottaway et que le lendemain matin, il retournerait à Malacourt pour la première fois depuis trente ans.

Sitôt sa tête sur l'oreiller, Dominic fut de nouveau absorbé par l'univers chimérique inquiétant par lequel choisissait de s'exprimer son inconscient ou, plus exactement, sa mémoire refoulée depuis le drame.

Déjà, les murs de la chambre d'hôtel devenaient… poreux… changeants. Les contours de la pièce se dissipaient.

Dominic avait huit ans, encore. Comme d'habitude. Il était installé à une table. Il dessinait. Il ne s'agissait pas de sa table, mais il la reconnaissait quand même. Il savait où il se trouvait, même s'il ne s'en souvenait plus.

Il avait dessiné deux personnages sous un arc-en-ciel. Il s'était appliqué. Il s'appliquait toujours, en tout.

— C'est toi, sur le dessin, mon grand ?

Dominic leva les yeux vers Hosanna, qui était apparemment dans l'un de ses bons jours.

— Oui, répondit-il. Là, c'est moi, et là, c'est toi.

— Et ça me ressemble, en plus, dit la gardienne en souriant avec chaleur. Tu dessines tellement bien, mon beau garçon. Elle en a de la chance, ta maman, d'avoir un beau garçon comme toi, pis gentil pis écoutant, à part de ça.

Puis, ce qui devait arriver arriva, et les traits réjouis de la femme se durcirent jusqu'à ce qu'ils évoquassent presque le visage de quelqu'un d'autre.

— Tu t'es sali les mains, espèce de cochon. Viens ici, commanda Hosanna d'une voix blanche, un sourcil relevé, le regard absent comme si elle ne voyait plus Dominic.

Mais lui la voyait. Même en fermant les yeux, il la voyait, comme si son image avait été imprimée au fer rouge à l'intérieur de ses paupières.

CHAPITRE 2

MALACOURT

Samedi 22 septembre, sept heures – Le café de courtoisie fourni avec la chambre était étonnamment buvable. Posté devant la fenêtre, les rideaux cette fois complètement ouverts, Dominic, cheveux humides, barbe toujours pas rasée, contemplait le centre-ville de Nottaway, une première pour lui.

Même la lumière dorée du matin ne parvenait pas à embellir le panorama.

Pendant huit ans, Dominic avait habité juste à côté de Nottaway, à vingt minutes de voiture à peine, mais il n'y était jamais venu. Non, c'était faux. Il y était venu une fois : l'hôpital, après l'incendie. Sa mère, elle, s'y était probablement rendue souvent. Oui, elle s'y était certainement rendue plusieurs fois au fil des ans en le laissant, lui, aux bons soins de Hosanna.

Imperceptiblement, les mâchoires de Dominic se serrèrent alors qu'une douleur sourde, ancienne, lui faisait tressaillir le biceps gauche. Impassible, il quitta la baie vitrée et alla jeter le contenu de sa tasse dans le lavabo de la salle de bain. Tête baissée, il regarda le liquide brun couler dans le renvoi.

Dominic allait redresser la tête lorsqu'il sortit de la toilette en coup de vent. Sur la commode au revêtement de mélamine ébréché, il récupéra sa tablette numérique. Il reviendrait ce soir, mais il était hors de question qu'il laisse ici quoi que ce soit ayant la moindre valeur. Les vêtements dans son sac de voyage ne se qualifiaient pas.

Après avoir enfilé son blouson de cuir noir, il quitta la chambre en tirant la porte derrière lui sans desserrer les dents. Un peu tard, il vérifia que la carte magnétique de la serrure de la porte et ses clés de voiture se trouvaient toujours dans ses poches. Elles y étaient.

Le papier peint défraîchi (taupe) et la moquette élimée (sang-de-bœuf) qui recouvraient les murs et le plancher du couloir étaient tellement sombres que les lumières devaient rester allumées en permanence. À un bout du corridor, un ascenseur hors d'usage était barré d'un X en ruban adhésif rouge. À l'autre extrémité, un cadre dont la porte avait été arrachée s'ouvrait sur une cage d'escalier.

Dominic, en s'y rendant, s'arrêta en chemin afin de rattacher le lacet d'une de ses chaussures de sport. Il hésita alors à poser son iPad sur la moquette aux aspérités douteuses, mais dut s'y résoudre. En le récupérant, il l'essuya vigoureusement contre son jean.

L'étage était plongé dans un silence presque irréel. Probablement les autres clients cuvaient-ils leur cuite de la veille, l'Hôtel Boomtown, pas exactement un palace, proposant des prix adaptés à ce type de bourses. Pas certain qu'il trouverait un motel à la sortie nord de la ville, Dominic avait parcouru le centre-ville et s'était arrêté devant la façade du Boomtown qui, à la décharge du client, payait un peu plus de mine au-dehors qu'au-dedans.

Dominic dévala l'escalier deux marches à la fois, poussa la porte du rez-de-chaussée, puis traversa la réception d'un pas pressé. Au passage, il salua du chef le préposé occupé à écrire un message-texte sur son téléphone intelligent. Comprenant que le jeune homme (il devait avoir dix-sept ans tout au plus) ne lèverait pas le nez de son appareil, Dominic s'arrêta puis, posant sa main libre sur le comptoir en imitation bois, il s'enquit :

— Ce serait possible de changer d'chambre ? J'ai la 306. J'en prendrais une qui donne pas sur la rue.

— Pas d'problème, répondit le préposé en continuant d'écrire. Mais les batailles sont pires dans' ruelle. Si vous allez au bout d'la *main*, juste à gauche, y'a le Paradise. C'est rénové. On peut vous rembourser les deux nuitées qui vous restent.

Anticipant la surprise de Dominic devant son manque de fidélité envers son employeur, le réceptionniste expliqua :

— Ça appartient toute à' même « famille ».

L'adolescent avait mimé un signe de guillemets, ses yeux toujours occupés par la lecture de son fil twitter.

— Quel genre de « famille » ? s'informa le client en mimant à son tour les guillemets.

— Le genre qui s'promène en moto pis qu't'as pas envie qu'ils t'invitent à un d'leurs barbecues. Tout ça pour dire que le Paradise, c'est plus *nice*.

— J'vais penser à ça, promit Dominic en prenant congé.

Peut-être que si sa mère n'était pas morte et qu'ils étaient demeurés à Malacourt, Dominic serait lui aussi devenu un motard ? Cette pensée fit naître un sourire fugace sur le visage ciselé qu'il tenait justement d'elle.

Non, se reprit-il. Si elle avait vécu et qu'ils étaient demeurés à Malacourt, Dominic serait sans doute devenu le même bon garçon qu'il était, mais en plus joyeux.

Il récupéra sa voiture dans le stationnement situé à l'arrière de l'hôtel, côté ruelle. Il avait plu. L'asphalte mouillé jonché de tessons de bouteilles et de sachets transparents attestait de ce que, effectivement, ce versant-ci de l'établissement était le témoin de pas mal d'action.

Dominic fit le tour de son véhicule, histoire de s'assurer que ladite action ne s'était pas soldée par des éraflures ou quelque autre dommage sur sa carrosserie. Rassuré, il balança son iPad sur le siège du passager, s'installa derrière le volant et démarra.

Il regrettait déjà le café qu'il avait jeté plus tôt.

Rapidement, le reflet de Nottaway dans le rétroviseur fut absorbé par la nature luxuriante à dominante de conifères. Çà et là, quelques fermes tenaient le coup ; cela dit, au moins deux avaient été abandonnées, de maisons comme de bâtiments.

Aux endroits où l'on persistait à cultiver la terre, de grands champs jaunis par l'automne ondoyaient dans la brise piquante que crachait un ciel plombé.

Il pleuvrait pour son anniversaire, se dit Dominic.

Sa fête n'avait jamais revêtu beaucoup d'importance à ses yeux. Généralement, il allait dans un bar, se soûlait, raccompagnait une fille chez elle et rentrait se mettre au lit sitôt vidé. Il n'était pas très porté sur l'affection, encore moins sur l'attachement. Évidemment, il ne pratiquait pas l'amour sans lendemain exclusivement à son anniversaire. La différence, c'était l'alcool. Le reste de l'année, il n'en consommait pas. Il ne savait pas boire avec modération.

En reportant son attention sur le paysage de nouveau dominé par la forêt, Dominic se demanda fugacement s'il trouverait à baiser pour sa fête, à Malacourt ou à Nottaway. Avant que son esprit eût pu lui fournir quelque image suggestive d'une hypothétique sirène de région, un mouvement sur sa droite le sortit de ces considérations philosophico-phalliques.

Un bref coup d'œil par la fenêtre du passager ne lui révéla rien d'autre qu'un champ lentement grugé par des arbustes qui deviendraient bientôt arbres, puis forêt. Lorsque ses yeux dévièrent vers le rétroviseur, Dominic aperçut deux enfants qui roulaient à bicyclette sur l'accotement. La distance les séparant de la voiture était déjà trop grande pour qu'il soit en mesure de déterminer s'il s'agissait de garçons ou de filles.

Cette question vouée à rester sans réponse le ramena à la raison de sa venue ici. À Malacourt, avait-on retrouvé la jeune Léanne Saint-Arnaud, onze ans ?

Il était persuadé que non.

Au détour d'une courbe, le village parut sortir de nulle part. L'instant d'avant, Dominic voyait se poursuivre le défilé infini d'épinettes, de sapins, de rares bouleaux et autres peupliers faux-trembles, et celui d'après, il était face à un hameau d'habitations et de commerces de format modeste. À l'entrée de la municipalité de campagne, un panneau de bois peint : Bienvenue à Malacourt, pop. : 1003 habs.

— Bienvenue mon cul, soupira Dominic en ralentissant.

La « Grand-Place », comme on l'appelait encore du temps où Dominic habitait le coin, tenait lieu de centre-ville. Sur un plateau légèrement surélevé – le territoire n'était guère vallonné –, l'église de Malacourt montait la garde. Sa mère l'y emmenait tous les dimanches, autrefois.

Était-elle croyante ou agissait-elle ainsi par égard pour le curé qui lui avait offert d'acheter la maison ? Dominic ne le saurait jamais.

Il la revoyait, impeccablement vêtue, gravir les marches du parvis. Rares étaient les autres parents de son âge qui se donnaient encore la peine d'assister au service dominical. Sa mère devait jurer parmi les têtes blanches. Dominic n'aurait pu dire au juste. Hormis l'image de sa mère montant les marches, puis s'asseyant en silence en lui faisant signe de l'imiter, il ne se remémorait pas grand-chose de la messe.

Carré et construit en pierres des champs, le bâtiment sacré avait connu des jours meilleurs : les lourds battants de bois de la porte principale étaient frais peints (rouge brique, curieux choix), mais on avait retiré la cloche, là-haut, fort probablement parce qu'on n'avait pas les moyens de rénover le clocher.

État des lieux mis à part, ce fut la dimension, l'échelle des choses, qui troubla Dominic.

— C'est tout p'tit, observa-t-il en décélérant.

De part et d'autre de la Grand-Place, les principaux commerces de Malacourt avaient pignon sur rue. Six rues et autant d'avenues croisées s'y amarraient pour mieux se déployer en périphérie. La majorité des habitants de Malacourt y avaient bâti maison, les autres vivaient éparpillés dans les environs, principalement dans les deux rangs qui se trouvaient à l'extrémité nord du village, lui arrivant du sud.

Dominic ne roula pas longtemps avant de se garer dans le centre-ville que traversait la route principale. Peu de véhicules y étaient stationnés : un pick-up bronze rutilant, une berline sombre vieille de quatre ou cinq ans, un coupé vert deux portes dont l'une était rouge, une auto-patrouille de la Sûreté du Québec…

Si les véhicules garés dans les allées des maisons alentour confirmaient que Malacourt n'était pas un village fantôme, l'ambiance n'en rappelait pas moins H.P. Lovecraft : un genre de Dunwich modèle réduit, après le passage de l'abomination. Une impression de décrépitude émanait des devantures, même de celles, peu nombreuses, qui avaient été rénovées.

La boutique de madame Juppé était fermée et son local, placardé, *idem* pour la quincaillerie de son mari ; il y en avait d'autres. Les dames de Malacourt devaient préférer aller magasiner à Nottaway et leurs époux, renouveler leur matériel de bricolage dans une grande surface plus au sud.

L'épicerie de monsieur Duguay, Chez Duguay fils, était à l'inverse toujours active, même chose pour la station-service-*diner*-dépanneur de monsieur Sigouin, sise à l'angle de la rue Principale et de la 3e Avenue. Heureusement d'ailleurs, car le manque de caféine démangeait sérieusement Dominic.

En s'engageant dans l'espace de stationnement du commerce, il contourna l'unique pompe à essence qui subsistait, remarquant du coup que celle du diesel avait été retirée. Son ancien emplacement avait été gauchement bouché avec du béton.

Plus de diesel, cela signifiait que le transport lourd ne passait plus par ici et que, donc, les deux moulins à scie de Malacourt avaient cessé leurs activités ; *exit* les dollars des camionneurs, et ceux du bois.

Avant de descendre de sa voiture, Dominic ramassa sa tablette sur le siège du passager. Pour ce qu'il en savait, les motards auxquels avait fait allusion le réceptionniste de l'hôtel à Nottaway avaient peut-être transformé le village adjacent en mégalaboratoire de métamphétamines.

N'importe quoi, pensa Dominic en poussant néanmoins le levier d'ouverture du coffre arrière.

En posant le pied sur le trottoir lézardé, il sentit les ombres du passé s'amonceler au-dessus de sa tête, comme un nuage de pluie de bande dessinée. Il essaya aussitôt de chasser cette image, mais n'y parvint qu'à moitié.

Il déposa son iPad dans le coffre entre son sac de sport et une couverture de laine grise qu'il gardait là en cas d'urgence, puis il retira son blouson. La journée s'annonçant couverte mais chaude, il avait d'emblée décidé de ranger son manteau aussi.

Même allégé de son blouson de cuir, Dominic se sentait encore ployer sous une masse invisible. Machinalement, il voulut récupérer son manteau pour y prendre ses anxiolytiques lorsqu'il se rappela qu'il avait laissé le flacon dans sa trousse de voyage. Dans son sac de voyage. À l'hôtel.

Afin de tromper l'anxiété qui guettait, Dominic activa l'alarme de son véhicule après avoir refermé le coffre, puis il se dirigea vers la partie casse-croûte de l'établissement multifonctionnel.

Blanc du plancher au plafond, le restaurant consistait en quatre tables à banquettes rouges, dont trois disposées le long de la vitrine, et en six tabourets fixes vissés en face du comptoir. Derrière celui-ci : une horloge murale ronde entourée d'un néon rose, un large miroir moucheté, une friteuse encastrée, une plaque de cuisson sur laquelle grillaient des tranches de bacon et des pommes de terre en rondelles, et (Dominic respirait déjà mieux), trônant sous l'horloge, une cafetière commerciale à deux pots.

Dès que le tintement de la clochette accrochée au-dessus de la porte retentit, tous les visages, les quatre en l'occurrence, se tournèrent vers le nouveau venu. Assis sur la première banquette, un type dans la quarantaine avancée, à l'instar de son embonpoint et de sa calvitie, terminait son assiette devant un journal maculé de taches grasses et de débris de toasts. Au fond, une très vieille dame, menue mais à l'évidence bon pied bon œil, avait cessé de picorer son œuf dur et détaillait l'étranger. Tout à côté de cette dernière, une serveuse entre deux âges – quarante, cinquante

ans – se tenait immobile, la bouche encore entrouverte pour quelque commentaire qu'elle n'avait pas
eu le temps de formuler. Enfin, assis au comptoir
dos à la porte mais la tête tournée vers celle-ci, un
policier, dans les âges de Dominic celui-là, venait
d'avancer un billet de cinq dollars et de la monnaie
sur la table, prêt à prendre congé.

Comme Dominic n'était pas – n'était plus – du
coin, les regards inquisiteurs restèrent rivés sur lui
bien après que se fut écoulé le délai alloué par la
bienséance.

Sans s'en formaliser, il prit place au comptoir en
laissant un tabouret libre entre l'agent de la SQ et lui.
Sous l'odeur de gras, Dominic flairait les effluves
prometteurs d'un Sumatra. Dominic anticipait le goût
riche et prononcé…

Jugeant le montant approprié, son voisin se leva
en y allant d'un au revoir collectif.

— Salut tout l'monde.

Le quadragénaire grommela des salutations inintel-
ligibles et se replongea dans la lecture de son journal.

— Essaie de nous la retrouver, répondit pour sa part
la vieille dame en adressant un regard plein d'espoir
au policier. Et courage.

Ainsi donc, on demeurait sans nouvelles de la petite
Léanne Saint-Arnaud…

— Bonne journée, mon pit', répondit quant à elle
la serveuse avant de retourner derrière son comptoir
juste à temps pour retirer de la plaque quatre tranches
de bacon croustillant. Tu retournes là-bas tout de suite,
j'imagine ?

— Oui, confirma le policier.

Où, là-bas ? aurait voulu savoir le nouveau venu.

— Y'a une p'tite qui a disparu, expliqua la serveuse
à l'intention de Dominic assis devant elle. Ça va faire

trois jours. Y'en parlent pas mal aux nouvelles. On est ben inquiètes, vous comprenez.

— Bon ben j'y vas, moi. Bye Linda, dit le policier en ouvrant la porte.

— Ah! le retint la serveuse, dis-leur que j'vas leur envoyer un percolateur de café pis des sandwichs à midi.

— T'es ben fine, Linda.

— Penses-tu! protesta-t-elle en versant un café à Dominic. C'est les bénévoles qui sont fins.

Une fois dehors, plutôt que de se diriger vers son auto-patrouille, le flic alla fureter du côté du véhicule de Dominic. Grâce au miroir placé en face des fenêtres, le second ne manqua rien du cirque du premier.

Éberlué, Dominic vit le confrère de la Sûreté du Québec sortir un téléphone intelligent de sa poche de poitrine et noter le numéro de la plaque d'immatriculation.

— Mon numéro d'plaque? Sérieusement? fit Dominic tout bas, en ricanant, plus incrédule que fâché.

Embarrassée par le manque de discrétion de l'un de ses habitués, Linda voulut détendre l'atmosphère.

— Faut pas prendre ça personnel, mon pit'. Le beau Vincent voit pas beaucoup d'action par ici. Remarque que, ces temps-ici, on haïrait pas ça que ça retombe tranquille... Pauvre Léanne, se désola-t-elle en secouant la tête.

À l'extérieur, la voiture de patrouille s'éloigna sur l'avenue principale. Vincent (Dominic avait relevé le prénom) parti, la serveuse reporta toute son attention sur Dominic, sans essayer le moins du monde de se donner un air détaché.

— Pis toi, tu nous arrives d'où? attaqua-t-elle sur un ton jovial en poussant la tasse fumante en direction de son client.

Question de retarder le moment de révéler son identité, Dominic ne dévoila pas son jeu, mais il donna néanmoins un os à ronger à la serveuse.

— Vous êtes Linda Sigouin, la fille de Sissi ?

En l'occurrence, Sissi était autrefois le surnom non pas de la mère de Linda mais de son père, Siméon Sigouin, le propriétaire de la station-service-*diner*-dépanneur : Si-Si, Sissi. Et nul n'aurait osé insinuer qu'il y avait là la moindre note de féminité : Sissi était un géant de presque sept pieds aux bras gros comme des troncs d'arbres. La cuisine, il l'avait apprise sur les chantiers lorsque, parti à treize ans de la maison familiale en claquant la porte, il s'en était allé gagner sa vie comme un homme.

— En personne, telle qu'en elle-même, confirma Linda en scrutant son client avec un intérêt renouvelé. Tu nous arrives d'où, coudonc ? répéta-t-elle.

Le cuivré de sa teinture ayant pâli, Linda avait les cheveux à peu près de la même couleur que son bronzage. Dans ses yeux bleu clair, les questions se bousculaient. Elle se demandait manifestement qui diantre était ce visiteur bien renseigné.

À cet instant, Dominic eut presque la nostalgie de son bled. Devant lui, Linda attendait, une main appuyée sur la hanche, l'autre tenant le pot de café. Dominic allait mettre fin à son supplice quand il fut pris de vitesse.

— Ce beau jeune homme-là, je suis certaine qu'il vient d'ici, décréta la vieille dame depuis sa banquette en s'essuyant méthodiquement la bouche avec sa serviette de papier.

Surpris, Dominic se tourna vers elle et l'examina à son tour. Lentement, son regard s'éclaira.

— Madame Berthe ?

Elle acquiesça en reposant sa serviette.

— J'étais certaine que tu viendrais, Dominic Chartier.

En entendant ce nom, Linda faillit échapper son pot de café, comme Dominic sa tasse le matin précédent.

Un silence pesant s'abattit sur le restaurant.

— Mon Dieu, lâcha finalement la serveuse. Le fils à Diane Chartier…

CHAPITRE 3

UN RETOUR ATTENDU

Assis sur la banquette en face de son ancienne enseignante de deuxième année du primaire, Dominic n'avait pipé mot depuis qu'il avait abandonné sa place au comptoir derrière lequel s'affairait toujours Linda.

La serveuse s'activait à sa plaque chauffante en jetant constamment des regards dans leur direction, visiblement pressée de poursuivre son interrogatoire citoyen.

Attablé près de l'entrée, le client obèse avait fini son assiette et son journal mais attendait apparemment de connaître la suite lui aussi.

— On dirait que tu as vu un fantôme, dit Berthe en adressant à Dominic un sourire moqueur.

Sa voix était frêle – elle devait avoir plus de quatre-vingts ans à présent –, mais Dominic reconnaissait le timbre égal et la diction impeccable.

— C'est moi qui devrais vous dire ça, madame Berthe.

— Appelle-moi juste Berthe, Dominic. Nous ne sommes plus à la petite école.

Réalisant que l'évocation de ce lieu ne pouvait manquer d'éveiller de nouveau le souvenir de sa mère, Berthe avança une main ridée par-dessus la table en formica et serra celle de son pupille, qui ne la retira pas.

— Vous avez dit que vous vous attendiez à m'voir ?

Berthe ne répondit pas tout de suite, la tête légèrement baissée, comme pour la communion. Priait-elle ? se demanda Dominic, sa main répondant toujours à l'étreinte de celle de Berthe. Il n'osait pas trop la serrer, par crainte que les doigts noueux mais fins ne se brisent à la moindre pression de sa part.

Quand elle releva les yeux, il décela beaucoup de tristesse dans le regard de l'enseignante retraitée.

— Évidemment, que je m'y attendais. Crois-tu que ça a recommencé, Dominic ? le sonda-t-elle de but en blanc.

Il ne sut quoi répondre. Et il n'eut pas à chercher, Linda ayant décidé de prendre le relais de la conversation.

— Attendez menute, Berthe, intervint-elle en déposant devant Dominic une assiette qu'il n'avait pas commandée (mais qu'il était ravi de voir arriver) puis en réchauffant son café. Vous êtes en train d'me dire…

Elle alla remettre le pot de café sur son socle chauffant puis revint aussitôt, le souffle court.

— … que v'là trente ans, c'est comme qui dirait lié à maintenant ?

Comme si elle l'avait fait des centaines de fois, Linda s'assit à côté de Berthe, une kyrielle de questions à la bouche.

— Fa' que comme ça, poursuivit-elle, ça serait possible que l'enfant d'chienne à Gérard Surprenant, y'aurait dit la vérité, dans l'temps ? *Pardon my language*, s'excusa-t-elle avec un fort accent.

En prononçant le nom du pédophile et incendiaire présumé, Linda avait agrippé l'autre main de Dominic et la serrait maintenant elle aussi, sans toutefois freiner le flot de ses paroles.

N'eût été de ses deux mains occupées, Dominic aurait volontiers entamé les œufs et le bacon posés devant lui avec tant de prévenance. Surtout, il aurait pris une autre gorgée de ce café délicieux.

— Ça serait peut-être pas lui qui aurait tué les deux p'tites? continuait Linda. Ça serait peut-être quelqu'un d'autre? Mais c'est lui qui a mis l'feu, j'peux pas croire! Trente ans, presque jour pour jour... C'est pas mêlant, j'en parle pis j'ai l'poil des bras qui retrousse.

Linda leva un avant-bras musclé de serveuse de carrière sur lequel le duvet était effectivement dressé.

— Vous en pensez quoi, vous, Berthe? voulut-elle savoir.

— Je pense qu'à l'époque on avait tous très hâte de trouver un coupable. Gérard Surprenant constituait un coupable idéal.

— Ben là, idéal, objecta Linda, ils ont quand même trouvé les p'tites culottes d'unc des p'tites dans son char! Pis... des cheveux.

La serveuse grimaça en terminant sa phrase.

— Comprends-moi bien, Linda, reprit Berthe de sa voix douce. S'il s'avère qu'il est bel et bien coupable, je serai la première à ravaler mes paroles. Mais à la lumière de ce qui vient de se produire, je ne peux pas faire autrement que de m'interroger sur ce qui est arrivé à Agathe et à Jacinthe...

La voix de la vieille dame se brisa en prononçant les prénoms des écolières qui étaient dans sa classe l'année de leur disparition.

Pleine d'empathie vis-à-vis de celle qui avait enseigné à tous les citoyens de la ville ou presque, elle comprise, Linda lâcha la main de Dominic et étreignit doucement le bras de sa vénérable cliente.

— Dites-nous don' l'fond de votre pensée, Berthe, proposa-t-elle.

Après s'être essuyé un œil, Berthe consentit à poursuivre.

— On n'a jamais retrouvé les petites, Linda. Tu le sais.

— C'est vrai, approuva l'autre d'un hochement de tête. Pendant un temps, on a toutes eu peur qu'il y ait pas de procès à cause de ça.

— Mais il y en a eu un. Dans les années qui ont suivi le procès, j'y ai beaucoup pensé, continua Berthe. C'est pas le genre de choses qui... qui vous sort de la tête comme ça.

— Tous ceux qui sont assez vieux pour s'en souvenir se rappellent, renchérit Linda. Encore plus ces temps-ici.

— Justement, releva Berthe. Pourquoi maintenant ? Pourquoi trente ans plus tard ? Gérard Surprenant s'en est toujours tenu à la même version des faits. Bon, c'est une chose. Ça ne prouve rien. Mais admettons, juste... admettons qu'il ait dit la vérité et que le vrai coupable l'ait effectivement fait accuser à sa place. Sa voiture n'était pas verrouillée. Qui verrouillait ses portes de voiture à Malacourt, à l'époque ? Pas moi, en tout cas. Est-ce si invraisemblable de penser que quelqu'un aurait pu... placer les sous-vêtements et... et les cheveux... Comme je disais, se reprit-elle, j'y ai beaucoup pensé. Du fait qu'on ne les a jamais retrouvées et que l'histoire de Gérard Surprenant n'a pas changé d'un iota, je me suis obligée à explorer d'autres hypothèses.

— Une vraie Miss Marple, la taquina Linda avec une bonhomie forcée.

— Miss qui ? voulut savoir Dominic, peu porté sur la lecture, policière ou autre.

— Pauvre jeunesse, se désola Linda sans éclairer Dominic pour autant.

— Tu-tute ! intervint Berthe. Dans ma classe, à huit ans, Dominic comprenait tout, tout de suite. Il avait de très bonnes notes.

— Et madame Berthe avait ses chouchous, insinua Linda, le regard pétillant.

— Jamais ! s'offusqua Berthe. J'ai aimé tous mes élèves, même ceux qui essayaient de me faire croire qu'ils ne m'aimaient pas !

— Voyons, voyons, voulut la calmer Dominic, qui en avait profité pour avaler son café d'un trait. Linda pense pas vraiment ça. Elle a dit ça pour vous agacer, ajouta-t-il en enfournant un bout de bacon et deux pommes de terre rissolées.

— C'est ben sûr, Berthe, s'excusa la propriétaire sans parvenir à dissimuler son amusement devant l'air penaud de la première.

À la décharge de Linda, Berthe avait pris la mouche avec une théâtralité suspecte. Et elle avait eu ses chouchous, quoi qu'elle en dise, et il se trouvait que Dominic avait été l'un d'eux.

— Or donc, récapitula Linda. C'était quoi, vos hypothèses ?

Peu habituée à être ainsi pressée de questions, mais flattée par tant d'attention, Berthe but une gorgée d'eau, lissa son napperon de papier du plat de la main puis, finalement, reprit :

— Eh bien, j'en suis à me demander s'il ne serait pas possible qu'elles aient été enlevées par quelqu'un qui voyageait pour son travail, avoua Berthe. Quelqu'un qui passait par ici de temps en temps, à l'époque. Quelqu'un qui était toujours par monts et par vaux. Plusieurs corps de métiers nécessitent ce genre de déplacements...

— Ou par un camionneur ? suggéra Linda en se prenant au jeu des suppositions. Y'en avait tellement du temps des moulins à scie ! Deux petites filles à bicyclette, c'est facile à cacher dans un gros camion... Mais là, y'a pus d'camions de bois en longueur qui passent par ici, observa-t-elle en continuant de réfléchir à voix haute. Celui qui a faite ça serait pus très jeune, astheure…

— Il n'y a pas d'âge pour qui veut faire le mal, ma fille, dit Berthe. Même à soixante ou soixante-dix ans, un homme peut encore avoir de la force dans le bras, plus qu'une fillette en tout cas.

En l'entendant parler ainsi, Dominic s'interrogea à savoir si sa maîtresse d'école adorée n'avait pas fait les frais d'un mari violent à l'insu de tous.

… une fillette recroquevillée dans un coin plaça ses mains devant ses yeux.

— Y conduirait probablement plus son camion… poursuivit Linda comme si elle n'avait pas entendu la dernière remarque de Berthe.

Révélant une nature pugnace, cette dernière reprit par-dessus, un peu plus fort :

— Ce que je ne comprenais pas jusqu'à hier, c'est pourquoi cet homme aurait attendu trente ans avant de recommencer.

Linda se tut sans avoir eu connaissance de la joute qui venait de se jouer entre elle et l'institutrice à la retraite.

— Puis j'ai compris, les informa Berthe, satisfaite qu'on eût laissé la parole aux aînés. Il reste à voir si mon hypothèse va se vérifier.

Dominic et Linda étaient suspendus à ses lèvres ridées.

— Et s'il n'avait jamais arrêté ? spécula Berthe. Et s'il avait enlevé des enfants comme ça, un peu partout dans la province ou dans le pays, tiens ? Entre la disparition de Léanne et celle d'Agathe et de Jacinthe, il s'est écoulé trente ans, mais ailleurs, plein d'enfants ont disparu dans l'intervalle. Peut-être que le… prédateur est revenu par hasard, ou parce qu'il aime revisiter les lieux de ses anciens crimes… L'âme humaine peut être très noire, mes enfants. L'Histoire nous l'enseigne.

Dominic comprit que Berthe disait vrai en affirmant qu'elle y avait beaucoup pensé.

— Seigneur! Vous allez m'donner des cauchemars, Berthe, se lamenta Linda en s'étirant le cou pour voir si son autre client était toujours là. Voulais-tu un réchaud, mon Fernand? s'enquit-elle.

— Non, répondit l'autre en se levant, comme si Linda venait d'appuyer sur un bouton invisible d'activation. M'as envoyer l'neveu chercher mon lunch, à midi.

— Comme d'habitude, mon Fernand, acquiesça la propriétaire en le regardant qui se mettait lentement en mouvement, corpulence oblige.

Elle allait reprendre le fil de leur discussion lorsque Fernand les interrompit.

— Vous devriez laisser dormir ça, leur dit-il en faisant face à la porte. Toi, ajouta-t-il à l'intention de Dominic en tournant à peine la tête dans sa direction, tu devrais la laisser dormir.

Sans autre explication, il les abandonna à leur air médusé.

— Pauvre Fernand, conclut Linda en rompant une fois de plus le silence.

— Pourquoi, pauvre Fernand? grommela Dominic en vidant son assiette.

Loin de désapprouver sa gloutonnerie, Linda opina du chef, contente qu'on apprécie sa cuisine. Puis, solennelle, elle croisa les mains devant elle, en interrogeant Berthe du regard. Levant les yeux de son assiette, Dominic vit la seconde répondre à la première d'un discret dodelinement du bonnet.

— OK, dit Dominic en lâchant sa fourchette. Quelque chose que j'devrais savoir? Si ça concerne ma mère, vous êtes mieux de…

— C'est rien d'sérieux, là. Calme-toi, lui enjoignit Linda en lui rappelant avec force regards avec qui ils étaient assis.

— Désolé, madame Berthe, balbutia Dominic. Tout c'qui se rapporte à ma mère, j'ai tendance à… à m'énerver, des fois.

Preuve à l'appui, ses brûlures d'estomac le reprirent aussi sec. Habituellement, elles ne se manifestaient qu'après le dîner. Rompu à l'exercice, Dominic fouilla dans la poche de son jean à la recherche du tube d'antiacides qui l'accompagnait où qu'il aille. Après l'avoir déchiré (il était neuf), il y pigea trois comprimés qu'il croqua sur-le-champ.

— C'est naturel, mon grand, le rassura Berthe en observant son manège avec une pointe d'inquiétude dans les yeux. C'est naturel. Tu étais tellement jeune… Pauvre enfant. Je te revois, à l'enterrement : digne, droit, bien mis, silencieux. Tu dégageais une telle maturité que c'en était troublant. Je me souviens d'avoir eu peur pour toi ; pour la suite. Une épreuve comme ça… Tu étais tellement jeune…

— Ç'a été, Berthe. Ça va. Je suis policier. J'essaie d'attraper ceux qui ont l'âme noire, comme vous dites.

— Es-tu heureux ?

— Je suis pas malheureux, Berthe. C'est déjà mieux qu'ben du monde.

— Ça c'est vrai, concéda une Linda songeuse et qui intervenait pour la première fois depuis un moment.

— Et Fernand ? Il est heureux, lui ? questionna de nouveau Dominic. Qu'est-ce qu'il a voulu dire, tantôt ?

Après s'être assurée que Berthe ne souhaitait pas raconter, Linda poussa un soupir résigné et commença :

— Fernand Duguay…

— Fernand Duguay, oui, j'me souviens, la coupa presque aussitôt Dominic. Il travaillait à l'épicerie d'son père, en face. Il me regardait bizarrement quand il remplissait nos sacs…

Cela revenait à Dominic au fur et à mesure que les mots franchissaient ses lèvres. D'autres souvenirs enfouis referaient-ils surface de la sorte ? N'était-ce pas pour cela qu'il était là ?

— Tous les enfants, ben, les gars, ils étaient jaloux d'lui, se rappela-t-il encore. Parce qu'il avait arrêté l'école à quinze ans.

Linda le coupa à son tour :

— Oui, pis ça lui aurait pas faite de tort d'y rester une couple d'années d'plus !

— Linda, franchement, protesta Berthe sans y mettre trop de conviction.

— Allez-vous m'dire le contraire, vous, une femme instruite qui s'est échinée à nous mettre un peu d'jugeote dans l'crâne à tout l'monde ? s'exclama Linda.

La tirade émut Berthe, qui se ratatina davantage sur sa banquette. Satisfaite, Linda cracha le morceau concernant Fernand Duguay…

— Fernand était amoureux d'ta mère, Dominic.

… avant d'être à nouveau interrompue par ce dernier.

— Quoi ? Mais c'est pas possible. Y'est trop jeune pour avoir été amoureux d'ma mère !

— Il avait seize ans lorsque… au moment du drame, souligna Berthe après avoir fait un petit signe à Linda pour l'aviser qu'elle s'acquitterait de cette portion-là de l'histoire. Déjà à neuf ans, dans la classe de ta mère, il était pâmé. Je voyais comment il la regardait pendant les récréations ; comment il cherchait son regard. De sa part à lui, c'était de l'amour, Dominic. De l'amour comme peut en ressentir un enfant, mais de l'amour quand même. Ta mère était une fichue de belle femme. Personne comprenait qu'elle

veuille rester célibataire. Y'a bien eu Gérard Surprenant, mais ça a pas pris. Elle t'était complètement
dévouée. À toi et à l'école. Et à la communauté.
Diane était la générosité incarnée. Belle en dehors,
belle en dedans. Et Fernand était particulièrement
sensible à ça.

— Adolescent, il était toujours fourré dans l'bois
par chez vous, confirma Linda en se levant pour aller
nettoyer la place de Fernand. Ah! Les hormones!

— Il venait… l'espionner? risqua Dominic, soudain
pris d'un drôle de vertige à cette pensée.

— Mon Dieu! s'exclama Linda depuis l'entrée. Dit
d'même, tu l'fais sonner comme un pervers! C'était
d'son âge. Pis Fernand Duguay, c'est pas méchant. Il
l'a pas eu facile, t'sais. Y'en a qui naissent face au
vent…

Dominic n'entendait plus. Il s'était rembruni. Il
n'eut pas conscience de sa main qui se refermait sur
le manche de sa fourchette. Il la tenait comme une
arme, le poing serré.

— Dominic, murmura gentiment Berthe. Dominic.
Regarde-moi, Dominic. Chhhh… fit-elle en posant
encore une fois la main sur la sienne.

Dominic se détendit aussitôt, vidé par la violence
de l'émotion qui venait de l'assaillir.

— Fernand a changé, après les événements; après
ta mère. Il s'est laissé aller. Quand il a repris l'épicerie
de son père, il pesait déjà plus que de raison. On dit
que c'est les femmes qui mangent leurs émotions,
mais faut être aveugle pour dire ça. À en croire les
reportages sur l'obésité, c'est toute l'Amérique du
Nord qui mange ses émotions. Toi, tu es mince. Tu
fais attention, mais tu n'es pas heureux pour autant,
trancha Berthe en secouant la tête.

Dominic n'essaya plus de mentir.

— Je pourrai pas être heureux tant que je saurai pas avec certitude c'qui est arrivé à ma mère. Vous comprenez ?

— Bien sûr que je comprends, Dominic. C'est pour ça que je savais que tu viendrais.

Derrière son comptoir, Linda s'affairait à la préparation d'une tonne de sandwichs « pas d'croûte » destinés aux bénévoles qui participaient en ce moment même à une battue visant à localiser Léanne Saint-Arnaud. Elle sifflotait distraitement, accaparée par sa besogne, et ne semblait pas prêter une oreille indiscrète à la conversation de Berthe et Dominic ; du moins, pas outre mesure.

— Tu as dû en traverser, des épreuves, dit la vieille institutrice en sondant le regard de son élève prodigue.

Dominic ne répondit pas tout de suite.

— C'est comme j'vous ai dit. Je suis pas malheureux, se borna-t-il à répondre.

Les épanchements attendraient.

— Je voudrais qu'Adélaïde soit encore vivante pour te voir, se désola Berthe sans le pousser davantage.

— Adélaïde ?

— Oui, Adélaïde, ma sœur…

— Dis-moi donc, mon beau Dominic, les interrompit Linda en finissant de couvrir d'une pellicule de cellophane le dernier de huit plateaux à larges rebords remplis de sandwichs, serais-tu assez fin pour leur apporter le lunch, aux bénévoles ? La SQ s'est faite un quartier général dans la grange à Ludgé Tremblay.

Devant l'absence complète de réaction dans le visage de Dominic, elle précisa :

— C'est la dernière ferme du Rang 2, du côté droit. De ton temps, c'était la ferme à Isidore Vachon.

— Ah! Oui! Isidore, là j'vois c'est où, confirma Dominic.

— Fa' que serais-tu bon pour leur apporter le lunch? Ça m'éviterait le déplacement pis…

— C'est ben certain, Linda. Ça va m'faire plaisir, dit-il en se levant. Ils refuseront probablement pas un bénévole supplémentaire.

Il était plus que temps qu'il aille « aux nouvelles », comme on disait par ici.

— Ça vous ennuie pas qu'on reprenne notre conversation plus tard, mada… j'veux dire Berthe?

— Penses-tu! Maintenant que tu es là, on aura tout le temps, promit-elle en lui adressant un sourire ravi.

— Y vont être ben contents qu'tu leur donnes un coup de main, dit la serveuse. Une police, en plus. C'est inespéré.

— J'gagerais pas là-dessus, Linda. D'habitude, les bleus aiment pas ben ben les verts, et vice-versa.

— De quelles couleurs tu m'parles, là? interrogea Linda en empilant les plateaux sur le comptoir devant elle.

— Au SPVM, auquel j'appartiens, les agents sont en bleu. Ceux d'la SQ…

— Sont en vert. La madame vient d'comprendre. Quin, ajouta Linda en poussant deux piles de quatre plateaux. Demain, j'leur enverrai une chaudière de spaghat' pis une chaudière de sauce. Pis fais-toi-z'en pas, mon beau Dominic: depuis trois jours qu'y cherchent la p'tite, y vont être ben contents de t'voir arriver, que tu seyes de n'importe quelle couleur. Fie-toi su' moi. Trois jours, heille. Quand j'pense à ça… Y'ont cherché autant comme autant. Y'ont commencé par la rivière au Fées, comme de raison, pis l'rang 1, par acquit d'conscience. Les chiens ont pas aboyé une fois. 'Sont dans l'rang 2 depuis hier à l'aube.

Dominic sortit du restaurant vers neuf heures et demie, les bras chargés de quatre plateaux, songeur.

On avait à coup sûr ratissé le terrain de son ancienne maison. C'était obligé.

Il ne devait plus en rester grand-chose, bien moins que dans son rêve, se dit Dominic en se dirigeant vers sa voiture. L'incendie avait été si violent... En ajoutant trente années d'intempéries, probablement ne subsisterait-il qu'un monticule herbeux là où avaient pourri les planches calcinées. Il verrait bien.

Mais d'abord, il irait offrir son aide bénévole aux organisateurs de la battue. En arrivant, il devait préciser qui il était et mentionner que Linda l'envoyait. Elle avait insisté sur ce point. Quoique les victuailles qu'il transporterait vaudraient probablement toutes les introductions.

Dominic compléterait son pèlerinage ensuite. Après la battue. Léanne Saint-Arnaud d'abord, lui ensuite.

Les chiens ont pas aboyé une fois. Les paroles de Linda lui revinrent. Simples, éloquentes. Tristes.

Victime d'une autre remontée de fluides gastriques, il s'arrêta à quelques mètres de sa voiture, en jonglant avec l'idée de reprendre des antiacides dès qu'il aurait déposé la première série de plateaux sur sa banquette. En se ravisant, il crut justement surprendre un mouvement sur le siège arrière de son véhicule. Un mouvement, oui, et une forme colorée... un enfant, un enfant coiffé d'une tuque rouge ?

Il cligna des yeux, interdit. Il n'y avait rien. Il s'approcha malgré tout avec circonspection. Constat : l'habitacle était bel et bien vide.

Toutes les émotions de tout à l'heure l'avaient mis à cran, voilà tout, essaya-t-il de se convaincre. Ce qui ne l'empêcha pas de jeter un regard autour de lui, à tout hasard.

Lorsque les yeux de Dominic rencontrèrent ceux de Fernand Duguay, debout devant son épicerie déserte, ce dernier baissa la tête, puis rentra dans son commerce.

— C'est ça, va t'cacher, gronda Dominic.

Il demeura là un instant, les bras toujours encombrés, puis l'épisode étrange de la voiture le frappa de nouveau. Il en fit le tour en regardant une fois de plus à l'intérieur. Après avoir ouvert la portière arrière d'une main en gardant la pile de plateaux en équilibre de l'autre, il les déposa sur la banquette puis, incapable de se retenir, il s'agenouilla afin d'examiner le dessous de sa voiture. Rien à signaler.

Après s'être acquitté du deuxième voyage de sandwichs, puis enfin du transport du percolateur, Dominic s'installa derrière le volant en ne sachant pas trop s'il devait se réjouir d'avoir tout imaginé, deux minutes plus tôt.

Des gouttelettes éparses apparurent sur le parebrise, et Dominic actionna les essuie-glaces en espérant sottement que ceux-ci chasseraient également le malaise qui grandissait en lui.

La traversée de la Grand-Place fut courte. Tout apparaissait tellement petit aux yeux de Dominic, qui avait gardé de l'endroit dans ses souvenirs des dimensions à l'échelle de son regard d'enfant. Le village semblait assoupi, mais qui pouvait savoir ce qui se cachait derrière les portes closes des façades anonymes ? Les bulletins de nouvelles étaient là pour rappeler périodiquement qu'il était de par le monde des gens, des hommes surtout, capables de se donner beaucoup de mal pour séquestrer un enfant sans que qui que ce fût ne soupçonnât quoi que ce fût.

Léanne Saint-Arnaud était-elle vivante dans l'un des sous-sols de Malacourt ? dans une cave secrète creusée à même un garage ? Si oui, pour combien de temps ? Et Agathe et Jacinthe, leur ravisseur les avait-il gardées en vie longtemps ?

Ces pensées écœuraient Dominic, mais s'il voulait dégager un lien entre les disparitions et le meurtre de sa mère, il n'avait guère le choix d'y revenir inlassablement.

Déjà, les maisons s'espaçaient. La pluie fine avait cessé. Au bout de deux minutes, Dominic arriva à une intersection et s'immobilisa au stop. Tout droit, à un kilomètre, la route menait au cimetière de Malacourt. Dominic n'y était allé qu'une seule fois. Une fois de trop.

… la fosse dans la terre, le cercueil dans la fosse, personne dans le cercueil.

— Je t'aime, maman.

Toujours immobilisé à l'intersection, Dominic déglutit en clignant des yeux, pas très sûr de ce qui venait de se produire. Puis cela lui revint : le cimetière. Il chassa aussitôt l'endroit de ses pensées.

Cinq ou six kilomètres plus loin, deux moulins à scie fermés exhibaient encore de rares bâtiments abandonnés ceints de clôtures éventrées par les curieux. Du temps que Dominic habitait Malacourt, un seul était en exploitation. L'état lamentable du bitume indiquait qu'aucun effort d'entretien n'avait été fait depuis longtemps. Bref, tout droit, la route ne menait nulle part.

S'il tournait à gauche, Dominic irait rejoindre le Rang 1. S'il prenait à droite, le chemin le mènerait au Rang 2. L'ensemble des voies à l'intersection formait un trident qu'on surnommait, non sans à propos devait-il l'admettre, la fourche du Diable.

En proie à une montée d'anxiété qu'il parvenait encore à nier, il actionna le clignotant droit sans pour autant se remettre en route. Derrière lui, un conducteur klaxonna d'impatience puis le doubla en faisant crisser les pneus de son 4X4 « jacké-peinturluré-pimpé ».

Dès que l'on quittait la route au profit du chemin qui menait au Rang 2, les champs cédaient la place à des bosquets d'arbustes et d'arbrisseaux, lesquels s'agglutinaient rapidement en un boisé compact qui devenait à son tour sous-bois puis forêt.

Au bout d'un kilomètre, la nature s'éclaircissait de nouveau alors qu'un pont enjambait un cours d'eau relativement étroit mais assez profond. Nommée prosaïquement la rivière Malacourt sur les cartes géographiques, on l'appelait par ici la rivière aux Fées. Sur ses berges étroites et escarpées, on aurait en effet aperçu des fées se baigner dans les eaux vives en se riant du fort courant alimenté par la rivière Matshi, qui coulait plus à l'est, et dont la rivière aux Fées était une excroissance.

Une immense plaque rocheuse perçait çà et là dans les terres arables, et la rivière aux Fées suivait son cours dans une faille qui courait en serpentin entre la rivière Matshi et un plan d'eau situé dans la partie sud-ouest du Rang 2, et dans lequel allait mourir la rivière aux Fées : le lac à la Grenouille (de ses noms officiel et officieux).

Peu profond et très vaseux, le petit lac était entouré d'une zone marécageuse et n'était pas propice à la baignade. Par contre, sa présence contribuait à la santé des terres environnantes. Du chemin orienté nord-sud, on devinait entre les branches, par intermittence, la présence de la rivière aux Fées qui coulait vers sa destination ultime.

Si l'on poursuivait sa route tout droit passé le pont, on aboutissait au débarcadère municipal, qui n'était en réalité qu'une descente de bateau en béton grossièrement coulé dans la Matshi et destinée aux pêcheurs et aux – rares – plaisanciers.

L'entrée du Rang 2 se trouvait juste après le pont, à gauche, donc vers le nord.

Lorsqu'il arriva sur le pont, Dominic ralentit, immobilisa sa voiture en bordure du chemin puis vint se poster sur le pont, humant l'air gorgé d'humidité.

Le bruit du bouillonnement des eaux sous ses pieds l'apaisa.

À en juger par le fort débit, les pluies saisonnières avaient dû être abondantes. Dominic n'avait jamais vu les Fées si grasses. En se penchant un peu en avant, il constata que le niveau de l'eau atteignait effectivement une hauteur inégalée, du moins inégalée selon ses paramètres temporels limités.

L'eau courait, sinueuse, furieuse, comme trop puissante pour être contenue dans un parcours d'une telle étroitesse.

Une fois, sa mère et lui avaient surpris un groupe d'adolescents sur le pont. Deux d'entre eux étaient passés par-dessus la rambarde et y demeuraient adossés en s'y agrippant face au ruisseau traître qui aurait pu avoir raison de l'un et de l'autre garçons désireux de prouver leur courage.

Sa mère les avait vertement sermonnés, mais Dominic, lui, les aurait volontiers imités. Oui, se souvint-il. Il aurait bien voulu grimper par-dessus la rambarde pour affronter la rivière en plongeant son regard dans celui des Fées…

Il avait complètement oublié cet incident jusqu'à aujourd'hui. En réalité, les huit années ayant précédé la mort tragique de sa mère demeuraient floues. Certaines réminiscences refaisaient ponctuellement surface, plus vivaces… La messe de minuit à Noël ; lui à moitié endormi et collé contre sa mère ; son parfum délicat… Les répétitions du spectacle de fin d'année qu'organisaient les finissants de sixième et que sa mère prenait en charge ; lui assis devant la scène, admirant l'autorité tranquille de sa maman… Tous les hommes, mariés ou pas, qui se retournaient sur le passage de cette dernière, à l'épicerie ou sur le trottoir de la Grand-Place… Elle qui le tenait toujours près d'elle, une main posée sur son épaule…

Ses souvenirs formaient une espèce de tout assez vague. Désormais, il avait du mal à départager ce qui relevait de l'amnésie partielle et ce qui relevait de l'oubli naturel. Même si des grands pans de la tendre enfance étaient inéluctablement voués à s'obscurcir en vieillissant, il était clair pour Dominic qu'avec l'incendie il n'y avait pas seulement sa maison qui était partie en fumée.

Une goutte froide s'écrasant sur son nez l'arracha à sa rêverie. Dominic leva les yeux et en reçut une deuxième, puis une troisième. Un vent frais se leva. Dominic sentit ses bras nus se couvrir de chair de poule. Son t-shirt faisait l'affaire tout à l'heure, mais la température venait de tomber d'un coup.

Délaissant à regret son promontoire, il retourna à sa voiture et alla récupérer son blouson de cuir dans le coffre. Après l'avoir enfilé, Dominic resta immobile un instant, en fixant l'intérieur du coffre. Il ne regardait rien de précis, ni son sac de sport pour le gym, ni son iPad, ni la roue de secours, ni la couverture de laine grise.

Le curieux vertige qui l'avait assailli au restaurant en compagnie de Berthe venait de le reprendre.

Non sans déployer un gros effort mental, Dominic rabattit le capot du coffre avant de se laisser choir derrière le volant.

Un filet de sueur froide lui mouillait l'échine.

Il prit une profonde inspiration, expira, recommença, puis, quand il sé jugea remis (de quoi ?), il mit le contact, tourna à gauche dans le Rang 2 et fila vers le nord.

À droite, soit sur le flanc est du Rang 2, il dépassa l'accès à la longue allée de saules pleureurs qui s'enfonçait dans les bois au cœur desquels avait été construite jadis la maison de la concubine du curé. Malgré le foin et les branches, Dominic vit clairement la chaîne rouillée qui barrait futilement l'accès. Il ne s'arrêta pas, ne ralentit pas. Graduellement, la végétation s'éclaircit.

Passé une zone densément boisée, le panorama se dégageait en dévoilant la vocation agricole du rang. À gauche sur le flanc ouest du rang, quatre fermes, dont une bergerie, se succédaient de loin en loin ; Dominic ignorait si elles avaient conservé leur vocation d'origine. À droite, passé son ancienne maison, quatre autres propriétés créaient un effet de miroir avec celles d'en face. La première du lot, devant laquelle Dominic passa en accélérant, appartenait autrefois à Gérard Surprenant.

Venait ensuite, sur la gauche cette fois, l'ancienne bergerie. La maison, un cottage classique à deux étages, avait joui d'une cure de rajeunissement. Un garage avait été greffé à la maison et, à moins que la pluie n'eût joué des tours à Dominic, le crépi blanc d'origine, déjà vieux lorsqu'il était enfant, avait été remplacé par un revêtement de vinyle.

Un monsieur Lafontaine habitait là, autrefois. C'était grâce à lui que Dominic était toujours en vie, monsieur Lafontaine étant ce voisin secourable qui, en 1982, avait amorti la chute périlleuse d'un gamin dont la maison était la proie des flammes.

Monsieur Lafontaine avait un élevage de moutons. Il avait dû rendre l'âme, depuis le temps, et ses moutons aussi. De fait, la bergerie avait été démolie et, tout à côté, il ne restait plus de la grange qu'un tas de planches grises.

La rivière aux Fées arrivait à la fin de son cours au bout de la terre de monsieur Lafontaine. Derrière la bande d'arbres qui marquait la limite du champ, le terrain devenait marécageux. Au centre de ce secteur humide, une vaste *swamp*, se trouvait le lac à la Grenouille. Vaseux, le lit du plan d'eau peu profond accueillait principalement de la barbotte, poisson guère prisé. Grenouilles, crapauds et couleuvres pullulaient sur les berges coulantes qu'on ne pouvait sillonner qu'avec une barque ou une barge.

Dominic n'y était jamais allé. Il n'avait jamais vu le lac à la Grenouille *de visu*. Sans père dans les parages pour lui enseigner les rudiments de la pêche et de la chasse, il était indéniablement passé à côté de ce que d'aucuns tenaient pour acquis : la première complicité mâle qui soit, celle qui se développait d'abord avec le père.

Pour autant, il n'avait pas « grandi dans les jupes de sa mère ». Entendu qu'elle le trimballait avec elle dans ses mille et une activités, sauf quand l'infâme Hosanna venait le garder. Il n'en demeurait pas moins que Dominic avait été un enfant indépendant, voire solitaire. S'il y repensait en fermant les yeux, mais pas maintenant, pas en conduisant, il était certain de se revoir assis dans un coin, jouant avec ses figurines de plastique, silencieux. Oui, silencieux. Toujours silencieux…

— Pour pas déranger, murmura-t-il sans s'en rendre compte, et sans décélérer.

Hosanna exigeait le silence. Assise dans le fauteuil de la mère de Dominic, elle lisait sa Bible, et seul le bruit des pages qu'elle tournait était toléré. Quand elle voulait punir l'enfant, ce qui arrivait chaque fois qu'elle venait le garder, le troll (Dominic la désignait maintenant sous ce surnom peu flatteur par référence à sa charpente trapue) inventait à Dominic un regard déplacé, une chemisette mal boutonnée, une posture trop relâchée, etc.

Dès lors qu'il y avait un châtiment à la clé, il n'y avait plus de silence qui tenait. La voix d'abord grave, sourde, elle lui commandait de s'approcher. Elle lui serrait alors le bras. Elle le serrait très fort. Puis le timbre de sa voix montait, montait jusqu'à atteindre une sonorité aiguë qui écorchait les tympans de Dominic. Prisonnier de la poigne de Hosanna, ce dernier en était réduit à attendre la suite du programme en serrant les dents afin de ne pas crier.

Il rêvait souvent d'elle. Elle hantait ses nuits, ogresse affamée de frayeurs enfantines. Et elle le terrifiait encore. Chaque fois qu'il repensait à Hosanna, Dominic sentait une douleur lancinante lui étreindre le biceps qu'il ne cessait pourtant de muscler.

Dans les cauchemars de Dominic, Hosanna n'était pas impressionnée par ses nouveaux muscles. Dans ses cauchemars, Dominic était resté un enfant.

Un rayon de soleil égaré lui tomba si soudainement dans les yeux qu'il revint instantanément au moment présent, à la route, au Rang 2. Dans le ciel, une percée s'était formée dans les nuages lourds qui, tel un sphincter, se refermèrent presque aussitôt. Le rayon de soleil qui s'en était échappé à l'instant mourut dans le panorama morne aussi vite qu'il était né.

Il ne devait pas se laisser si facilement distraire. L'heure n'était pas à l'apitoiement. L'heure était à l'action !

Ainsi irait-il se joindre aux bénévoles et aux policiers afin de retrouver la trace de la jeune Léanne Saint-Arnaud. C'était probablement vain, il s'en doutait, mais ce devait être fait. Chaque chose en son temps.

En son for intérieur, Dominic savait qu'il y avait une large part d'égoïsme dans sa démarche. Car en se joignant aux recherches, il apprendrait forcément des détails sur la disparition de la gamine et, qui sait, sur d'éventuelles similitudes avec celles d'Agathe Boissonneau et de Jacinthe Lussier, trente ans plus tôt. Dans les petites villes, les langues se déliaient facilement; les gens aimaient parler, ceux de Malacourt comme les autres. Et Dominic entendait leur prêter main-forte autant qu'une oreille attentive.

Champ à gauche, champ à droite: le rang déroulait son ruban de gravier bien droit et bien plat. Maisons rénovées, maisons qui auraient eu besoin de l'être… Au bout d'un moment, Dominic vit poindre une forme colorée: la ferme de Ludgé Tremblay.

À cette distance, il n'était pas en mesure de déterminer si cette propriété-là avait été retapée, mais une chose était certaine, le nouveau propriétaire avait conservé le bleu d'origine pour le revêtement. La tache d'un marine clair crût jusqu'à ce que Dominic ait sa réponse: il s'agissait du revêtement d'origine. Les bardeaux de bois peints manquaient par endroits, si bien que la maison avait l'air de peler. À distance, on aurait pu croire la ferme abandonnée.

Mais pas ce jour-là.

Dans le champ attenant se trouvaient en effet stationnés une bonne trentaine de véhicules: ceux des citoyens venus ratisser les environs. À l'écart, trois voitures de la Sûreté du Québec étaient garées en bordure du rang, juste passé l'entrée de la grande cour en marge de laquelle se dressait une grange aussi vieille que la maison, mais encore très droite. Des gens entraient et sortaient par une porte latérale, les deux immenses battants de l'accès principal n'ayant pas été ouverts.

Dominic connaissait la ferme du dénommé Ludgé Tremblay sous le nom de « ferme au père Vachon », Isidore de son prénom, mais il n'avait aucune idée de qui il était et de ce dont il avait l'air – avait *eu* l'air, plus certainement. Ici non plus, Dominic n'était jamais venu. À moins que si ? Car comment expliquer qu'il eût su d'emblée que la maison avait toujours été bleue ?

Sa mère avait dû l'emmener en balade en voiture, voilà tout, conclut-il.

Regrettant encore ses anxiolytiques, il se gara derrière l'une des autos-patrouille, pressé de rejoindre l'action. Arrivé à la hauteur de la grange, il entra d'un pas confiant, convaincu qu'un bénévole de plus serait le bienvenu. Ce fut le cas.

À l'intérieur, une équipe réduite gardait le fort. Certains portaient des dossards orange par-dessus leurs manteaux.

— Vous venez aider aux recherches ? s'enquit une policière de vingt-huit, trente ans.

Élancée, athlétique, elle était son genre. Beaucoup de filles étaient son genre, mais celle-là dégageait une autorité naturelle qui plaisait à Dominic. Il n'aimait pas les filles soumises. Aguicheuses ? Pas de problème ! Pourvu qu'elles aient de l'initiative !

Conscient d'avoir peut-être trop ouvertement reluqué sa jeune consœur, il se racla la gorge en faisant mine de s'intéresser au QG improvisé. Pour le compte, il y avait de quoi voir.

— Oui, c'est ça, confirma-t-il en se passionnant pour les poutres qui soutenaient le plafond de la grange.

Accroché à la portion inférieure du séchoir à foin, en haut, à l'arrière de la grange, une tête d'orignal empaillée exhibait un panache aux dimensions très impressionnantes. Majestueux par-delà la mort, l'animal couvait d'un œil vitreux le groupe d'humains qui avaient envahi son domaine poussiéreux.

De fait, s'il restait ici plus longtemps, Dominic se mettrait à éternuer, il le sentait.

— T'as l'air plus réveillé qu'tout à l'heure, dit une voix que Dominic reconnut pour l'avoir entendue au casse-croûte de Linda.

Le nouveau venu baissa la tête et croisa aussitôt le regard de Vincent, le policier prompt à relever les numéros de plaque des voitures inconnues.

— Sergent-détective Vincent Parent, dit ce dernier en tendant la main. C'est gentil de donner d'ton temps. On n'est pas trop.

Dominic lui serra la main en essayant de dissimuler sa déception de voir la jolie policière se désintéresser d'eux et se diriger vers un petit groupe de citoyens qui venaient de s'agglutiner autour d'une carte.

— Dominic Chartier.

— Comme ça, t'es d'la maison, enchaîna Vincent en ramassant un imperméable noir et un dossard sur une table pliante qui en accueillait une pile de chaque. Pis du coin, à part de ça.

— T'as déjà fait vérifier mon numéro d'plaque ? répondit Dominic, quand même surpris de la rapidité avec laquelle on « scannait » les gens de passage.

Son confrère éclata d'un rire franc, pas du tout embarrassé que ses manières inquisitrices eussent été percées à jour.

— Ben non ! J'ai reçu un coup d'fil de Linda, le rassura-t-il. Elle m'a toute conté ton histoire.

Le sergent-détective Parent cessa de rire aussitôt ces paroles prononcées. Le contraste entre sa bonhomie puis son sérieux soudain fut presque drôle aux yeux de Dominic.

— Ben désolé pour toi, ajouta Vincent.

— Ça fait longtemps, esquiva Dominic, peu désireux de discuter de ses vieux traumatismes avec un inconnu.

Ou avec qui que ce soit à Malacourt, d'ailleurs. Quoiqu'avec madame Berthe, tout à l'heure, cela avait fini par ressembler à une émission de *Dr. Phil*[2].

— Pareil... C'est... c'est ben triste, répéta l'autre en se dirigeant vers la porte. Ah, pis tiens, ajouta-t-il en attrapant un second dossard sur la table puis en le tendant à Dominic.

D'un mouvement de la tête plus inclusif que directif, Vincent invita ce dernier à le suivre dehors.

— Donc, résuma le lieutenant-détective Chartier en enfilant le survêtement voyant, j'ai pas besoin de t'préciser que c'est Linda qui m'envoie.

— Pis que t'apportes le lunch. M'as t'aider à débarquer ça.

Leur besogne accomplie, Dominic et Vincent quittèrent de nouveau la grange en se dirigeant cette fois vers le champ.

— Ah! La Linda! commença Vincent avec un sourire dans la voix. J'travaille aux Crimes majeurs, à Nottaway, mais j'viens quand même passer mon heure de lunch à Malacourt, à son *diner*. J'aime son café. Y va r'mouiller avant longtemps, rcmarqua-t-il en sautant du coq à l'âne.

Vincent scrutait d'un air préoccupé le ciel redevenu couleur ardoise.

— La météo annonce rien de catastrophique pour aujourd'hui, précisa-t-il. C'est demain après-midi qu'ça risque de vraiment tomber.

Dominic l'imita en consultant les cieux du regard, puis il partit à la suite de son confrère lorsque celui-ci se remit en marche, l'humeur de nouveau à la conversation.

---

2   Émission américaine très populaire dans laquelle les invités s'entre-déchirent et déballent les détails de leur vie intime avant d'être conseillés par le bon docteur Phil.

— Elle achète du vrai café d'qualité, c'est ça son secret. Elle le fait livrer par autobus d'une épicerie fine de Montréal. Elle a sa sorte, pis ça s'adonne que sa sorte, 'est bonne.

— Un bon café, ç'a pas d'prix, approuva Dominic qui avait une opinion très arrêtée sur la question. On est pas mal du même âge, fa'que je l'sais que t'es pas d'ici, continua-t-il en suivant Vincent qui contournait les voitures pour mieux se diriger vers le fond de la terre. T'es-tu originaire de Nottaway ?

— Saint-Clovis, de l'autre bord, répondit Vincent en taillant la route à grandes enjambées dans le foin. J'ai eu mon transfert au bureau des Crimes majeurs y'a deux ans. À Nottaway, c'est pas achetable à cause des mines pis du cours des métaux, ça fait que j'ai acheté par ici. Littéralement, précisa-t-il en s'arrêtant. J'ai acheté la deuxième maison du Rang 2 ; une ancienne ferme à moutons, imagine. Je l'ai eue pour rien, mais j'ai mis ben de l'argent dessus. Là, c'est pas mal à mon goût.

Le sergent-détective Parent était drôlement bavard, mais au second abord, Dominic le trouvait sympathique.

— Donc, tu viens d'ici, poursuivit Vincent, mais où t'habites, astheure ? Linda a pas précisé t'étais dans quelle division.

— Dis-moi pas qu'elle a retenu d'l'information !

Vincent attendit la suite, marchant toujours d'un bon pas. Puis, comme elle ne venait pas, il décrocha un regard entendu à son confrère, l'air de dire « bon, t'as eu ton fun, là ? ».

— Montréal, répondit finalement Dominic, déridé malgré lui par l'attitude de Vincent. J'ai grandi… (il allait dire « un peu partout » mais se reprit) à Longueuil, pis j'suis à Montréal depuis pas loin d'une vingtaine d'années.

— Montréal ! J'y vas une coup' de fois par année.
J'aime ben ça, une fin d'semaine de temps en temps,
mais j'pourrais pas habiter là. J'comprends l'trip cul-
turel pis toute, mais moi, si j'peux pas aller à' pêche
en été pis à' chasse à l'automne, j'suis malheureux.
Mon ex-femme est rendue à Joliette, elle. Les dix ans
qu'on a été mariés, elle voulait rien savoir de bouger
d'Saint-Clo, pis hop ! Dès qu'les papiers du divorce
ont été signés, bye bye la compagnie !

Le ton jovial ne trahissait aucune amertume, plutôt
de l'amusement.

— Pis nous autres, on s'en va où, comme ça ? se
renseigna Dominic en profitant de ce que Vincent
s'était momentanément tu.

— Là-bas, répondit le sergent-détective en indiquant le nord-est.

Ils étaient maintenant à une dizaine de mètres
seulement de la ligne d'arbres. En suivant des yeux
la direction que Vincent désignait du doigt, Dominic
repéra des points orange en mouvement dans la forêt.

— On est en pleine saison d'la chasse à l'orignal,
là, réalisa soudain Dominic en jetant un coup d'œil
au dossard qu'il portait par-dessus son manteau de
cuir noir. J'imagine que vous avez été obligés d'sortir
les chasseurs du bois ?

— Oui, on a suspendu la chasse sur tout l'territoire
jusqu'à nouvel ordre. Ç'a fait des mécontents. J'imagine pourtant pas une meilleure raison pour un *call*
comme ça que l'fait qu'y a une battue pour retrouver
une p'tite fille ! Des fois, mon Dom, le monde me dé-
courage.

« Mon Dom » ? Ils étaient déjà copains ?

— Faut pas t'formaliser d'ma familiarité, dit
Vincent en changeant encore de sujet. Avec un suspect, j'suis bête comme mes deux pieds, mais avec

du bon monde, la yeule m'arrête pas. J'suis faite de même, qu'est-ce tu veux !

Ils arrivèrent à l'orée de la forêt. Passé un entrelacs d'arbustes et de ronces, les épinettes noires à longues tiges décharnées se succédaient en rangs serrés, entre-coupées ici et là de bouleaux et de peupliers dénudés dont les feuilles se décomposaient au sol.

En dépit d'une luminosité réduite, on y voyait relativement bien.

— Qu'est-ce qui te dit que j'suis du bon monde ? demanda Dominic, pince-sans-rire.

— Là-dessus, Linda a plus de pif que la moitié d'mon département. Ça m'suffit. En plus, t'as une bonne job. SPVM ?

— Depuis dix-sept ans, confirma Dominic.

— Tu vois probablement plus d'action dans une semaine que moi dans une année. Quoique, même ici, m'as t'dire qu'on en croise des spéciaux, des fois. Mais tant qu'à ça, c'est pas à toi que j'vas expliquer ça : avec toute ce par quoi t'es passé… Pis t'as pas mal viré, en plus !

— Y'a-tu quelque chose que Linda t'a pas dit ?

Vincent se contenta de rigoler en écartant une branche morte au-dessus de leurs têtes. Puis, comme s'il venait se rappeler un détail important, il baissa les yeux en direction des chaussures de sport de Dominic déjà plus très blanches après leur périple dans le champ. Lui portait des bottes de cuir noir à bouts renforcés.

S'en apercevant, Dominic le rassura :

— C'est correct, j'tiens pas à garder mes souliers propres.

— Ils le resteront pas, promit Vincent en lui cédant le passage, sourire en coin.

CHAPITRE 4

LA BATTUE – SAMEDI

Une longue file de citoyens et de policiers s'étirait jusqu'à la rivière. Deux chiens pisteurs avaient été dépêchés de Nottaway. Côte à côte, chaque personne ratissait une zone de trois ou quatre mètres carrés en avançant progressivement vers le sud, en direction du village, du plus loin jusqu'au plus près, à la manière d'un étau qui se resserre.

Lors des trois jours précédents, on avait passé les champs avoisinants au peigne fin de même que le flanc ouest du rang. En vain.

— Pourquoi on cherche spécifiquement dans l'Rang 2? interrogea Dominic en longeant le cordon humain en mouvement à la suite de son confrère.

Vincent n'avait pas menti : à peine Dominic s'était-il aventuré dans la forêt que ses baskets étaient déjà toutes pleines de boue et de débris de feuilles mortes.

— La p'tite s'en venait rejoindre son amie, la fille des Tremblay, répondit le sergent-détective. Jade, qu'elle s'appelle. Ça faisait quèqu' jours qu'elle manquait l'école. Elle était grippée. Léanne s'en venait aider Jade à rattraper ses devoirs en prévision de son retour à l'école le lendemain.

— Pis Léanne est jamais arrivée chez son amie Jade, termina Dominic en regardant par-dessus son épaule en direction de la ferme dont les arbres cachaient maintenant la vue.

Vincent ne répondit pas. Attentif au bon déroulement de la battue, il avait perdu son air insouciant.

Au bout d'environ cinq cents mètres, ils dépassèrent le dernier bénévole. Devant eux, le murmure de la rivière Matshi devenait de plus en plus insistant.

Et soudain, elle fut là, noire comme le ciré et les bottes de Vincent, à peine agitée en surface et repue des pluies automnales.

Le sergent-détective Parent fit halte non loin de la berge herbeuse. Il décrocha son radio-émetteur de son ceinturon puis annonça à un interlocuteur anonyme :

— Parent en position. J'reprends les recherches où j'étais tantôt.

— 10-4, répondit une voix parasitée.

Après avoir remis son *walkie-talkie* en place, Vincent baissa la tête et entreprit de scruter chaque recoin du sol mouillé.

— Si tu veux juste marcher un cinq mètres par-là, indiqua-t-il à Dominic en désignant la berge d'un mouvement du bras, ça serait parfait. Elle portait un jean, une blouse rayée multicolore, pis un *coat* de pluie couleur lime.

— Beaucoup d'couleurs, remarqua Dominic.

D'éventuels lambeaux de tissus seraient faciles à repérer.

— On devait la voir de loin sur son bicycle, poursuivit-il. Elle se promenait à bicyclette, c'est ben ça ? C'est ça qui était écrit…

— Oui, 'est partie de chez elle sur la 4e, sur son bicycle, mardi à quatre heures et vingt. Elle est partie même si y bruinassait, pour rendre service à son amie. Elle était serviable et elle aimait les couleurs vives, conclut Vincent avec une note de fatalité dans la voix.

— Tu penses pas qu'on va la retrouver, hein?

D'expérience, Dominic savait lui aussi qu'à ce stade un dénouement heureux était peu probable.

— On a retrouvé son bicycle le soir même de sa disparition, mais…

— Ah oui? coupa Dominic, surpris.

Il avait tenu pour acquis que la gamine s'était volatilisée avec son vélo, comme Agathe et Jacinthe avant elle. Il semblait que non.

— Elle a faite un *flat'* sur sa roue d'en arrière en roulant sur un tesson d'bouteille de bière, près du pont d'la rivière aux Fées, lui apprit Vincent.

— Avez-vous…?

— On a dragué la rivière pis le lac à la Grenouille, ben sûr. Drette le lendemain, mercredi, aux aurores. Rien pantoute.

— Une p'tite fille pognée avec une crevaison, au bord d'une route isolée, résuma Dominic en une image dont Vincent ne savait que trop ce qu'elle pouvait suggérer.

— En plein ça, mon Dom. Va savoir qui a pu l'embarquer sous prétexte d'la dépanner.

Le sergent-détective Parent secoua vigoureusement la tête, comme pour s'empêcher d'évoquer le pire. Voyant cela, Dominic, qui notait mentalement chaque information nouvelle, décida de changer d'approche en y allant de manière plus indirecte afin d'empêcher que son confrère se fermât comme une huître.

— Onze ans, me semble que c'est jeune pour partir toute seule en bicycle pour une *ride* de… quoi? Quatre kilomètres?

— Ses parents doivent se répéter ça vingt fois par jour, dit Vincent.

Dominic n'essayait pas d'assigner des blâmes: il espérait plutôt amener, sans en avoir l'air, son interlocuteur à s'ouvrir davantage des détails de l'enquête.

Pour le compte, il ne jugeait pas les parents responsables de la disparition de leur fille. Une enfant prête à pédaler quatre kilomètres sous la bruine rien que pour aider une amie s'était à l'évidence fait inculquer de bonnes valeurs. Léanne Saint-Arnaud avait forcément été bien élevée.

La tentative de Dominic n'en avait pas moins échoué. Vincent avait apparemment dit tout ce qu'il avait à dire pour l'instant.

Un examen minutieux des berges ne donna rien. Entre dix heures et midi, Dominic et Vincent avancèrent d'une centaine de mètres. Rien, *niet, nenni*.

Dans la forêt, aucun bénévole ne se manifesta avec une découverte.

Exception faite de rares jappements porteurs d'un espoir vite dissipé, les chiens demeurèrent silencieux.

— On reprend après dîner, décréta le sergent-détective Parent dans son radio-émetteur en rejoignant Dominic.

— 10-4, acquiesça la même voix parasitée que tout à l'heure.

D'une de ses poches, le sergent-détective Parent sortit un sifflet et souffla un long coup strident, marquant ainsi la pause du dîner. Après un dernier regard circulaire déçu, Vincent se laissa aller à une confidence :

— Quand j'ai commencé dans l'métier, ça, c'est probablement le seul genre d'affaires que j'espérais jamais avoir à m'occuper.

Dominic avait formulé le même vœu en son temps.

— Viens, dit Vincent en contemplant la rivière d'un air abattu. On va aller manger.

Si la fillette avait eu le malheur de tomber dans la Matshi, pour peu qu'elle s'y fût rendue, rien ni personne n'aurait pu la sauver. Mais Dominic demeurait à ce stade convaincu que son petit cadavre ne jonchait pas le lit de la rivière. À moins qu'on l'y eût jeté pour s'en débarrasser.

Dominic n'avait pas faim. Le déjeuner copieux du matin n'était pas en cause et la qualité des « sandwichs pas d'croûte » de Linda non plus. Une fébrilité incontrôlable le tenaillait. Pour le *control freak* qu'il était, c'était un véritable supplice. Il était ici, à Malacourt, mais il faisait du surplace. Il aurait voulu que l'enquête débloque tout de suite, maintenant, afin de l'aiguiller, lui, sur sa propre enquête.

C'était égoïste, et la petite Léanne méritait mieux, mais Dominic sentait une espèce de vortex se former en lui chaque fois qu'il repensait à sa maison en feu, à sa mère prisonnière des flammes… Comme un trou noir qui aspirait tout : ses souvenirs enfumés, ses espoirs, sa vitalité…

Dominic n'avait rien vu du drame, mais les images le hantaient quand même. Qui donc les avait engendrées ? Maintenant qu'il était de retour dans son patelin, maintenant qu'il ne pouvait plus se cacher la tête dans le sable, maintenant que la condamnation de Gérard Surprenant prenait des allures de simulacre de justice, les images semblaient vouloir gagner en force, en précision. C'était une bonne chose, mais c'était une chose effrayante.

Dominic devait élucider le mystère plus que jamais, à défaut de quoi, il serait hanté pour toujours.

Il en était donc réduit à ressasser ses vieux démons dans son coin de la grange, à l'écart, aveugle aux regards inquisiteurs qui fusaient dans sa direction depuis son arrivée. Quand il parvint finalement à s'extraire de ses ruminations, il remarqua que Vincent s'apprêtait à prendre la parole.

— OK ! Messieurs-dames ? Merci. Avant qu'on donne une autre go tout à l'heure, on va passer un chapeau pour notre Linda nationale qui nous a envoyé le lunch pis l'café gratis. Même si c'est à coup d'25 cennes, ça serait apprécié d'y donner quèqu'chose en échange, surtout qu'elle le fait pas pour ça.

Dans la grange, tout le monde approuva. Manifestement, Linda était une concitoyenne appréciée. La coquette somme amassée dans un étui à boule de bowling – le proverbial chapeau – le confirma à l'issue du repas.

Les recherches reprirent dès treize heures. De retour près de la berge, Dominic continua à ratisser le sol, les hautes herbes et les arbustes avec une minutie toute professionnelle. Il suffisait parfois d'un infime bout de fibre pour placer une personne disparue à un endroit précis et, de là, recréer son parcours.

Certes, c'était moins rapide et spectaculaire que dans les shows télévisés, mais ça fonctionnait. À défaut des outils technologiques relevant parfois carrément de la science-fiction qu'on y voyait, les bonnes vieilles facultés de déduction se montraient le plus souvent à la hauteur. Celles de Dominic, en tout cas. Sauf bien sûr pour l'affaire qui le touchait personnellement. Ce mystère-là le plaçait dans la catégorie peu enviable des cordonniers mal chaussés.

Plutôt que de remâcher pour la énième fois ce constat déplaisant, Dominic s'obligea à mettre ses neurones en veilleuse afin de laisser toute la place à ses yeux, à l'environnement. Un scanner ne réfléchissait pas : il collectait des données visuelles. L'après-midi durant, Dominic ne fit que cela.

À quinze heures cinq, le son d'un sifflet retentit, assez près. Il ne provenait pas de celui de Vincent.

Sans se consulter, Dominic et lui se précipitèrent dans la direction d'où émanait le bruit strident. Quelqu'un avait trouvé quelque chose.

Il s'agissait d'une bénévole ; une dame dans la cinquantaine, la silhouette svelte, les cheveux courts et gris, naturels. Ses sourcils en accent circonflexe lui donnaient un air de petite fille apeurée. Était-ce là ce qu'elle avait trouvé, une fillette ?

Vincent fut le premier policier arrivé sur les lieux. Le regard dirigé vers le sol, il esquissa un mouvement circulaire du bras afin d'inviter les bénévoles à reculer pour dégager le site. Avec son autre main, il récupéra un gant de latex dans la poche de son imperméable puis l'enfila d'un geste mécanique.

— On a quèqu'chose ? se renseigna un subalterne à bout de souffle.

Trois autres le rejoignirent, la même expression tendue sur le visage.

En effet, tout le monde souhaitait retrouver Léanne Saint-Arnaud, de préférence vivante. Or, passé un certain point, on en venait presque à apprivoiser l'idée de retrouver un cadavre. N'importe quoi plutôt que l'incertitude.

Pour les parents, l'incertitude finissait par devenir pire que tout.

Sans mot dire, le sergent-détective Parent balaya le sol de sa main gantée à l'endroit où saillait entre les feuilles mortes un point grisâtre, rond et d'apparence rêche, d'environ cinq centimètres de diamètre. Vincent n'eut pas à épousseter les détritus végétaux bien longtemps avant de révéler une surface lisse plus importante, blanchâtre, longue et mince.

Un humérus, ou alors un tout petit fémur, jaugea Dominic, debout parmi les bénévoles qui retenaient leur souffle pour rien. Car il allait sans dire qu'il ne pouvait s'agir de Léanne Saint-Arnaud. La blancheur de l'os indiquait que le processus de décomposition était terminé depuis très longtemps déjà. Depuis trente ans ? C'était plus qu'improbable. Si près de la surface, les os se seraient complètement désagrégés.

Rapidement, le verdict tomba.

— Non, soupira Vincent en réponse à la question de l'agent. C'est soit un chien, soit un louveteau, déclara-t-il en continuant d'écarter la végétation flétrie et mouillée.

Cette annonce emplit inexplicablement Dominic de tristesse.

Vincent savait de quoi il parlait, c'était patent. Grattant avec précision, il dégagea les grandes lignes de la carcasse qui furent mises au jour en deux minutes. Le crâne oblong, couché de profil, émergea en dernier. Pas une fois Vincent ne détacha les yeux de sa besogne.

— Un louveteau, trancha-t-il. Probablement abandonné par sa mère.

Lorsque Vincent releva la tête, son regard croisa celui de Dominic. Entre les deux hommes, une onde de découragement silencieux circula, fugace mais lourde comme une enclume.

Au sein de l'attroupement : un mélange de déception et de soulagement, puis chacun regagna son secteur.

Le bruit distant d'un tronc qui craquait à cause du refroidissement thermique, la brise humide dans les branches dénudées ou serties d'aiguilles, les brindilles qui cédaient sous les pas de bénévoles et de policiers… La symphonie forestière se remit à égrainer ses notes déprimantes.

De retour en mode machine, Dominic se planta les pieds exactement là où ils se trouvaient au moment où le sifflet avait retenti. Ratisser le sol, les hautes herbes et les arbustes ; collecter l'information. Ne pas réfléchir.

Vers seize heures, un bruissement dans les hautes herbes le fit s'arrêter net. Doucement, il s'approcha. Il y avait du mouvement près du sol. Au bout de quelques pas, il fut en mesure de mieux voir.

Rassemblée autour d'un festin que Dominic ne parvenait pas à distinguer, une masse de plumes noires faisait ripaille. Il devait y avoir une bonne dizaine de corbeaux, tête en bas, croupion en l'air. Leurs ailes s'agitaient dans le désordre en produisant un effet d'ondoiement collectif luisant. Il ne pouvait s'agir du cadavre d'une enfant. La superficie couverte par les charognards ne correspondait pas à cette dimension-là.

À moins, évidemment, qu'il ne se fût agi que d'une *partie* du cadavre d'une enfant. C'était une possibilité. La monstruosité humaine était sans limites, comme tout policier finissait tôt ou tard par l'apprendre.

Collecter l'information. Ne pas réfléchir.

Conscient qu'une nuée de corbeaux affamés pouvait s'avérer difficile à chasser, Dominic ramassa une branche de bonne taille dans la boue et, faisant un pas de plus dans la direction de la congrégation de volatiles, frappa le sol tout à côté. Qu'importe ce qui se trouvait là-dessous, le spectacle était d'office rebutant.

Dans une cacophonie de croassements rageurs, les oiseaux s'envolèrent en un sombre essaim avant de se poser non loin de leur banquet.

Lorsque le vent tourna, Dominic reçut l'odeur du poisson mort en pleines narines. Il était gros, ou en tout cas l'avait été.

— Un doré jaune, dit Vincent derrière lui. Plus que soixante centimètres, 'sont rares. Un quinze livres certain. Y devait pas être jeune.

Devant une telle avalanche de détails, Dominic poussa un sifflement impressionné.

— Coudonc, dit-il en abandonnant son bâton près de la charogne visqueuse, tu travailles-tu pour la SQ ou pour *National Geographic* ?

Retrouvant un semblant de bonne humeur, Vincent s'éloigna afin de reprendre ses propres recherches.

Après un dernier regard pour les restes du doré, Dominic en fit autant.

— Enweyez, venez manger, lança-t-il sans se retourner aux corbeaux impatients.

À dix-huit heures treize précises, le sergent-détective Parent sonna la fin de la battue. Le soleil serait bientôt complètement couché. Poursuivre à la noirceur, même muni d'une lampe de poche, ç'aurait été risquer de passer à côté d'un indice, aussi infime soit-il. Personne ne voulait cela, à commencer par l'enquêteur en charge.

— La pauvre Nicole pensait ben être tombée sur le squelette d'la p'tite, dit ce dernier à Dominic lorsque celui-ci le rejoignit dans sa zone.

Il parlait de la femme grisonnante qui avait frappé un os. Littéralement.

— Y'était là depuis un bout, le louveteau, répondit Dominic. Y'a pas mal de loups, dans l'coin ?

— Assez peu, pour être ben franc. Y'en a beaucoup en allant plus au sud-est, par exemple, proche de Sainte-Sybile. Le terrain est plus montagneux par-là.

— Sainte-Sybile, ça m'dit d'quoi, essaya de se souvenir Dominic.

— Un ancien village minier. Ç'a toute flambé y'a dix ans, à l'été 2002.

— Oui, oui, ça a fait les manchettes, se rappela Dominic. Le trois quarts d'la population a brûlé vif. Ils fêtaient la Saint-Jean dans un aréna, c'est ça ?

— Pas l'trois quarts, corrigea Vincent. Toute la population. Y'a pas eu un seul survivant.

— Tu m'niaises !?

— Officiellement, l'affaire est pas classée, révéla Vincent. Le feu a incinéré ben des os, mais y'ont quand même pu déterminer qu'il y avait des marques de violence. C'est pas clair, c'qui s'est passé.

— Est-ce que ça pourrait être un genre de Jonestown[3] ?

— Va savoir, soupira Vincent en se mettant en route vers l'orée de la forêt. *Anyway*, pour le moment, tout c'qui m'intéresse, c'est de retrouver la jeune.

Léanne, Léanne... que t'est-il arrivé ? se demanda Dominic en scrutant les épinettes décharnées tout autour.

Pour un peu, il se serait attendu à voir courir au loin la gamine entre les troncs hérissés. Si seulement...

À la queue leu leu, bénévoles et policiers traversèrent le champ, plusieurs se plaçant une main sur le côté du visage afin de se protéger du fort vent qui s'était levé.

Tout autour, le foin ondoyait violemment, se couchant puis remontant en vagues brusques.

Alors que les policiers regagnaient la grange, la plupart des civils se dirigeaient droit vers leurs véhicules.

— Ils vont tous être ici demain matin à sept heures et demie tapantes, prédit Vincent en arrivant à la hauteur du bâtiment de planches grises. On n'a perdu

---

3   En 1978 à Jonestown en Guyane, le révérend Jim Jones et sa secte procédèrent à un vaste suicide collectif impliquant de nombreux infanticides. Plus de neuf cents personnes moururent après avoir bu de leur plein gré un jus empoisonné au cyanure tandis que d'autres se firent injecter le liquide de force.

personne depuis mercredi matin. Ça solidarise, ces histoires-là.

Sans rien rajouter, il entra dans le bâtiment, Dominic à sa suite.

À l'intérieur, le brouhaha du midi s'était mué en un faible bourdonnement. Quatre agents remballaient cartes et ordinateurs portables. D'emblée, Vincent se dirigea vers eux.

Dominic allait s'approcher lui aussi, l'air de rien, lorsqu'il remarqua madame Berthe sagement assise sur une petite chaise pliante près de l'entrée.

— Mada… Berthe, excusez-moi, se reprit-il. Vous avez participé à la battue ? s'étonna-t-il vu l'âge vénérable de son ancienne enseignante.

— Je voudrais bien, se désola-t-elle, mais mes jambes ne me le permettent plus. Je viens d'arriver. Je t'attendais.

— Vous m'attendiez ? Encore ? plaisanta-t-il à moitié.

— Oui, encore. C'est une invitation de dernière minute, j'en conviens, poursuivit-elle dans son français impeccable coutumier, mais je serais très heureuse que tu viennes souper à la maison. J'ai un bon rôti qui mijote. Il est fameux. Tu peux demander à Vincent. Il y a déjà eu droit.

Elle se leva lentement alors que le sergent-détective Parent revenait justement vers eux.

— Vous me trompez, Berthe ? dit-il en fourrant un épais dossier dans un attaché-case de cuir marron.

— Je disais à Dominic que mon rôti est fameux.

— Il l'est ! assura Vincent à Dominic le plus sérieusement du monde. Vous m'excuserez, faut que j'me sauve. J'ai un débriefing avec mon boss à Nottaway. Berthe, toujours un plaisir. Dominic, on t'voit-tu demain matin ?

— Sans faute, promit-il.

— Parfait. Salut la compagnie !

Le vent avait dû redoubler d'ardeur, car Vincent eut à pousser un bon coup pour ouvrir la porte de la grange.

— Écoutez, j'accepte avec grand plaisir, mad…

Dominic roula des yeux en réalisant qu'il allait encore dire « madame ».

— Vous êtes certaine que j'peux pas vous appeler madame Berthe ? s'enquit-il en suppliant presque. Ça m'rentre pas dans la tête, juste le prénom.

— Essaie plus fort, répliqua la vieille dame, l'œil pétillant. On va y aller, si tu veux. J'ai laissé mijoter à feu très doux, mais on sait jamais.

— J'vous suis, dit-il en lui ouvrant la porte.

Pendant une minute, il craignit de voir Berthe s'envoler sous la puissance des bourrasques. Coriace sous ses allures chétives, l'institutrice de deuxième ne parut nullement intimidée et marcha jusqu'à sa voiture en ligne droite, son corps frêle ne cédant pas d'un centimètre à la bise.

Content à la perspective de passer la soirée en compagnie de Berthe, Dominic se hâta jusqu'à son propre véhicule.

Oublieuse de ce qu'un policier la suivait, Berthe maintint une vitesse de croisière de 110 kilomètres/heure dans une zone de 50. Plus amusé qu'autre chose, Dominic en fit autant. Les bénévoles partis avant eux devaient déjà être arrivés à leurs destinations respectives, car ils ne croisèrent personne.

Ils ne se rendirent pas jusqu'à la Grand-Place, Berthe habitant l'une des deux maisons construites au bord de la route sur la portion située entre le centre-ville et la fourche du Diable qui menait aux anciens moulins et aux deux rangs. Il s'agissait d'un bungalow plain-pied propret et bien entretenu.

— Vous avez pas l'pied léger, ne put s'empêcher de remarquer Dominic en allant rejoindre son hôtesse sur le perron.

— J'ai toujours aimé conduire, avoua-t-elle en rougissant comme une première de classe prise en défaut.

Le rire enfantin qu'elle émit en tournant la clé dans la serrure ne vint que renforcer cette image dans l'esprit de Dominic.

— Bon, une couple de tranches de rôti, pis on en parle pus, décréta-t-il en rejoignant Berthe à l'intérieur.

On entrait par un mini-vestibule éclairé par un plafonnier circulaire qui révélait un plafond en stuc blanc. D'un côté, une série de crochets à manteaux, de l'autre, un miroir ovale dans lequel Dominic ne pouvait contempler que la partie inférieure de son visage, la hauteur de la glace ayant été ajustée à celle, réduite, de la maîtresse de céans.

— Si j'ajoute un morceau de pudding chômeur, vous promettez de ne pas m'emprisonner, monsieur l'agent ?

— Là, Berthe, vous m'prenez par les sentiments. Je sais pas c'est quand la dernière fois que j'ai mangé du pudding chômeur, dit-il en retirant ses chaussures de course mouillées sur le paillasson de l'entrée.

— Grand Dieu ! s'écria l'octogénaire à qui rien n'échappait. Mais tu vas attraper la mort si tu restes les pieds mouillés comme ça !

Avant que Dominic eût pu protester, elle s'en fut dans le couloir et revint presque aussitôt avec à la main une grosse paire de bas de laine multicolore.

— Tiens, enfile ça, ordonna-t-elle en appuyant les bas roulés sur le torse de Dominic qui, tel un Goliath vaincu par David, obtempéra sans rouspéter tout en poursuivant discrètement son balayage visuel.

À gauche, du côté des crochets, le mur courait sur deux mètres au bout desquels s'ouvrait le couloir que venait d'emprunter Berthe. Chambre(s?) à coucher et salle de bain, en déduisit Dominic. À droite, la cloison qui accueillait le miroir donnait presque tout de suite sur un salon pas très grand mais impeccablement rangé. Berthe avait renouvelé le mobilier tout récemment. Le cuir de la causeuse sentait encore le neuf. Une table basse à structure de métal et surface de verre, un guéridon plus haut mais de style identique, un téléviseur haute définition à écran plat : Berthe ne vivait pas dans le passé.

On accédait à la salle à manger et à la cuisine, en aire ouverte, par une ouverture en arche percée dans le mur mitoyen du salon.

Ce qui frappait surtout, en entrant, c'était la chaleur ambiante. Berthe devait être frileuse, car Dominic estima que le mercure devait facilement atteindre vingt-cinq degrés Celsius à l'intérieur. Elle avait fait allusion à ses jambes, tout à l'heure… Rhumatismes ? Il espéra que non.

— Les avez-vous tricotés ? s'informa Dominic en la suivant dans la cuisine.

— Mais bien sûr ! Si tu me donnes ton adresse, je t'en enverrai pour Noël. Tu chausses du 12 ?

— Oui, confirma-t-il.

— Comme Euclide. Euclide, c'était mon conjoint.

Le ton ne trahissait pas un chagrin récent.

— Il est décédé depuis longtemps ?

— Quinze ans. Hummm… Sens-moi ça, dit-elle en soulevant le couvercle de la mijoteuse.

Le rôti promettait effectivement d'être fameux.

— Va t'asseoir au bout de la table. Je vais nous servir du vin.

En prenant place, Dominic remarqua pour la première fois l'album posé sur la table.

— J'ai pensé… Que tu voudrais peut-être voir des photos, dit Berthe en accusant une brève hésitation.

— Oui, répondit Dominic. Oui, j'pense que j'aimerais ça, regarder des photos.

N'était-ce pas pour meubler son propre album existentiel qu'il était revenu à Malacourt ?

Le contenu de l'album se limitait au volet professionnel de la vie de Berthe, c'est-à-dire que les photos qui s'y trouvaient concernaient essentiellement l'école. Des tirages des classes successives de Berthe ; entre 1952 et 1987, trente-cinq cohortes d'enfants.

— Vous avez toujours eu la deuxième année, Berthe ?

— Non. Au début, j'ai eu la quatrième. J'avoue que les petits bouts-d'choux de deuxième avaient ma préférence.

— Je trahirai pas votre secret, promis.

— Comique ! En tout cas, on peut dire que tu t'es dégourdi, en vieillissant ! Enfant, tu étais d'un sérieux… Tu étais sage comme une image. Un ange, je te jure.

— Vous en mettez pas un peu, là ?

— Pas du tout ! réagit-elle aussitôt. Un ange, je te dis !

Dominic continua de tourner les pages.

— Ça fait drôle de voir tout ça…

— J'imagine que les photos… commença Berthe sans parvenir à terminer sa phrase.

— Parties en fumée, pour vrai, répondit Dominic distraitement, complètement absorbé par l'album. J'ai rien pu garder. Même pas mes souvenirs.

Au-delà des murs de la classe de Berthe, il devinait ceux du reste de l'école Marie-Reine ; ce long couloir du rez-de-chaussée qu'il arpentait cinq jours par semaine, enfant…

À l'étage, c'étaient les plus vieux, le deuxième cycle du primaire. Avec les élèves de sixième année, on ne plaisantait pas.

Au sous-sol, il y avait les casiers et le gymnase… Deux spectacles s'y déroulaient chaque année, un premier avant Noël et un second, avant le congé estival. Tout cela grâce, en bonne partie, au dévouement de Diane Chartier.

— Y'a une photo de ma mère dans le dossier de l'enquête de 1982. C'est sa photo de finissante de l'École normale. J'imagine que c'est tout c'qu'ils ont pu retrouver…

Comme il prononçait ces mots, sur la page suivante de l'album…

À l'automne 1975, une nouvelle venue avait fait son apparition sur la photo de groupe du personnel de l'école Marie-Reine : Diane Chartier. Une beauté sans fard, une élégance naturelle, un sourire chaleureux et franc…

Dès lors, les photos de classes vertes, d'expositions de dessins et de bricolages dans les corridors du rez-de-chaussée et de l'étage, et de spectacles, évidemment, crurent en nombre.

Dominic le constatait *de visu* : à l'école primaire de Malacourt, il y avait indubitablement eu un « avant » et un « après » Diane Chartier.

Il aurait dû en retirer un sentiment de fierté. Peu de gens pouvaient se targuer d'avoir eu des parents qui avaient fait une telle différence dans leur communauté.

Il aurait dû se réjouir de renouer avec des images aussi nettes de sa mère.

Il…

— Regarde, le reconnais-tu, ce beau garçon-là ?

Émue, l'hôtesse désignait la photo de sa cohorte de l'automne 1982. Y figurait entre autres élèves un certain Dominic Chartier, huit ans, malingre, le teint pâle…

Il referma l'album, inconscient de l'expression douloureuse que renvoyait son visage.

— Ça va aller pour ce soir, dit Berthe en lui reprenant l'album des mains puis en le repoussant à
l'autre bout de la table sans exiger la moindre explication. On mange?

— Oui, répondit Dominic avec un peu trop d'em-
pressement, la voix enrouée.

Berthe le resservit deux fois, la mine ravie. Rôti
dans son jus et patates brunes : Dominic appréciait
les classiques. Durant tout le repas, il sirota son verre
de rouge, conscient de devoir reprendre la route jusqu'à
Nottaway à l'issue de la soirée.

Après avoir essuyé le fond de sa troisième assiette
avec de la mie de pain, il crut bon de préciser :

— C'est par politesse que j'mange autant, vous
comprenez ?

— Par politesse, hein ? gloussa Berthe devant un
détournement aussi éhonté de la vérité. C'est plaisant
de voir un homme manger avec appétit. Le mien…

— Le vôtre ?…

— Mange, mange, éluda-t-elle en levant son verre.

Ils trinquèrent en silence, l'esprit accaparé par
leurs fantômes respectifs : Berthe, par celui d'un mari
qui ne semblait pas avoir été de tout repos, et Dominic,
par celui d'une mère dont l'image s'estompait au
lieu de se préciser en dépit des photos.

Lorsqu'elle déposa un généreux morceau de pudding chômeur devant lui, Berthe parut soudain la proie
d'une tristesse inattendue.

— Ça va ? s'enquit Dominic en se levant à demi
alors qu'elle s'asseyait.

— Oui, fais pas attention. C'est juste…

Elle s'essuya machinalement la bouche avec sa serviette de table, comme elle l'avait fait au casse-croûte de Linda ce matin.

— C'est ta mère qui m'a donné la recette. Ça venait de ta grand-mère, semble-t-il. Tant de deuils… souffla-t-elle d'une voix brisée.

Sous le choc, Dominic se rassit, ne sachant pas quoi dire.

— Pardonne-moi, s'excusa Berthe. J'aimais beaucoup ta mère. Je la trouvais courageuse. Généreuse. Je fleuris sa tombe à chaque automne, tu sais.

En entendant cela, Dominic se sentit comme le dernier des ingrats.

— Elle me manque, poursuivit Berthe. Enseigner dans la même école qu'elle, c'était agréable… Elle mettait de la vie avec sa bonne humeur et son sens de l'organisation. J'ai jamais vu une enseignante s'impliquer autant dans sa communauté, je peux te dire ça, Dominic. Tu peux être fier d'être son fils, Dominic. Très fier. Allez, mange tandis que c'est chaud, conclut-elle. En plus du reste, elle savait cuisiner, Diane Chartier.

Inspiré par les paroles de Berthe, Dominic enfourna son dessert en quatre bouchées géantes. Il se régala. Le ratio pudding/sirop était parfait. Parfait. Il aurait voulu se souvenir d'en avoir déjà mangé un aussi bon. Il aurait voulu reconnaître la recette de sa mère.

— Parlez-moi don' un peu d'vous, Berthe, dit-il afin de dévier temporairement le fil de ses pensées.

— De moi ? Mon pauvre Dominic : j'ai pas mené une vie bien bien passionnante.

— Êtes-vous native de Malacourt ?

— Certainement. Les Lacombe de Malacourt. Je suis la dernière. À une époque où les Canadiens français peuplaient la province plus que ce que les femmes étaient en mesure de produire, mon père fut le seul de ses huit frères à assurer sa descendance. Avec deux filles. Des jumelles. Fin du patronyme! Même si j'avais eu des enfants à moi…

Elle se tut.

— Vous aviez une jumelle? Adélaïde, c'est ça? Vous avez mentionné son nom, ce matin…

— Oui. Tu te souviens d'Adélaïde? Elle t'aimait tellement!

— Je… Honnêtement, dit un Dominic embarrassé, je n'me souviens pas du tout d'elle.

— Es-tu sérieux? Elle t'a pourtant gardé à quelques reprises… Chaque fois que ta mère devait se rendre à Nottaway pour une raison ou une autre…

La vue de Dominic s'obscurcissait par intermittence, comme s'il clignait des yeux. Or ses paupières ne bougeaient pas. Son esprit semblait lui aussi figé, à l'instar du temps.

Dominic se souvenait de Hosanna, pas d'Adélaïde. Son esprit s'était-il emmêlé? Avait-il accolé le mauvais prénom à sa tortionnaire toutes ces années durant?

Adélaïde… Hosanna… Ça ne se ressemblait pourtant pas.

— Oui… feignit Dominic en se forçant pour que le flic en lui prenne le dessus afin d'éviter que l'individu s'écroule. Je crois que ça m'revient. Elle était de votre grandeur? Assez…

— Petite, oui. Mais pas mal plus en chair, par contre.

— Trapue? hasarda-t-il sans se soucier de ménager les sensibilités de la défunte – il la présumait défunte – ou celles de sa sœur.

— Euh… oui, acquiesça Berthe. La nature ne l'avait pas gâtée, disons ça comme ça. Mais elle…

— Elle m'aimait beaucoup, compléta Dominic en convoquant sur son visage un sourire convaincant.

Berthe s'en montra tout heureuse.

— C'était pas très souvent que ta mère te faisait garder, tu sais. Elle te traînait partout. À croire qu'elle hésitait à demander un coup de main, elle si généreuse. Juste un samedi de temps en temps, histoire d'aller acheter du nouveau tissu. Diane confectionnait toutes ses robes. Elle cousait merveilleusement bien… J'aurais pu te… j'aurais aimé, mais avec mon conjoint à la maison, c'était plus compliqué. Et Adélaïde aimait tellement les enfants. Elle les adorait…

— Vous aviez l'tour avec nous autres. J'espère que vous l'savez, ça, Berthe. On vous doit bien des mercis.

L'individu disait cela avec sincérité ; le flic le disait de manière intéressée.

Gratte, Dominic. Gratte.

— Voyons donc, protesta-t-elle. J'ai rien fait d'extraordinaire. J'ai toujours aimé les enfants, moi aussi. Ça se résume à ça, au fond. On en voulait, Euclide et moi. Il s'est avéré que je ne pouvais pas. J'ignore si des enfants l'auraient gardé loin de la bouteille.

— Il buvait beaucoup ?

Le lieutenant-détective Chartier était désormais seul en selle. Le ton était doux, attentif. Mais chaque question serait dorénavant ciblée. Et chaque réponse, analysée.

Dominic ne discutait plus avec son hôtesse. Il l'interrogeait.

— Un puits sans fond, j'en ai peur, soupira-t-elle.

— Ce matin, au restaurant, vous avez dit quèqu'chose… qu'un homme de soixante-dix ans pouvait encore avoir d'la force dans l'bras.

Berthe garda le silence, le regard introspectif.

— J'ai tué un mari violent, une fois, avoua Dominic à brûle-pourpoint. Ç'a passé pour d'la légitime défense, mais c'en était pas. Je l'ai tué… comme ça. Paf !

acheva-t-il en mimant le coup de poing fatal. J'ai contrevenu aux lois que j'suis censé appliquer, mais je l'referais demain matin. Des fois, pour faire le bien… il faut presque faire le mal. Comprenez-vous ?

Son ton s'était durci, ce qui n'avait pas échappé à Berthe.

— Tu es là pour protéger les gens, Dominic. Tu es là pour protéger les gens qui peuvent pas se défendre contre… contre ceux qui sont irrécupérables.

Le mot sembla blesser les lèvres parcheminées en les franchissant.

— Et je ne parle pas des mauvais élèves, Dominic, poursuivit-elle. Je dois même admettre que j'avais un faible pour eux. C'étaient eux qui avaient le plus besoin de mon aide, qu'ils en veuillent ou non. Non, je parle de… des monstres. Ceux qui n'ont peur de rien parce qu'ils ne tiennent à rien. Ceux qui détruisent tout pour passer le temps. Ceux qu'on aime en vain. Avec eux, ce n'est pas que l'amour ne suffit pas. C'est que l'amour ne les atteint pas.

Berthe médita ses propres paroles. Ses arcades sourcilières paraissaient peser une tonne au-dessus de ses paupières.

En cet instant, elle faisait chaque minute de son âge.

— Quelqu'un comme ça, on appelle ça un sociopathe, trancha Dominic.

— Non, mon grand. Quelqu'un comme ça, on appelle ça une peine d'amour.

La vieille institutrice laissa de nouveau le silence envahir la maison avant de le rompre, la voix quelque peu ragaillardie.

— J'ai connu ma part d'épreuves, c'est vrai, admit-elle en lissant la nappe de part et d'autre de son assiette, encore là, comme elle l'avait fait avec son napperon au casse-croûte. Disons que je coule des jours paisibles en tant que veuve joyeuse.

Un sourire lumineux vint alors creuser une multitude de rides heureuses dans le visage bienveillant de l'octogénaire.

Cette bienveillance était-elle bien réelle ? se demanda le lieutenant-détective Chartier. La dame n'en mettait-elle pas plus que le client n'en demandait ? Avait-elle été l'épouse d'un monstre ?

Et Adélaïde… Adélaïde… Pourquoi ne se souvenait-il pas d'elle ? Ou, au contraire, s'en souvenait-il tellement qu'il avait dû la rebaptiser afin d'en faire un personnage ? Un personnage impliquait une distance. Et cette distance le plaçait, lui, en lieu sûr.

Tant de questions nouvelles…

— Et puis tu sais, Dominic, j'ai adoré chacune de mes trente-cinq années dans l'enseignement. Même les dernières, après…

Après Agathe et Jacinthe. Après l'incendie.

— J'ai un excellent scotch ! annonça-t-elle en se levant de table avec une soudaineté qui fit presque sursauter Dominic, perdu qu'il était dans ses pensées.

— Juste un p'tit, dit-il. Je conduis pour retourner à Nottaway.

— Je te garderais bien à coucher, mais j'ai juste une chambre. Et je doute qu'un grand gaillard comme toi tienne dans ma causeuse !

Dominic l'écoutait toujours distraitement.

Berthe avait-elle été l'épouse d'un monstre ? Ou la sœur d'un monstre ?

— Ça va, mon hôtel est payé et pis, de toute façon, un peu d'route, ça va m'faire du bien, répondit-il avec une jovialité mécanique.

— C'est Linda qui m'a fait découvrir le scotch, lui apprit Berthe en posant une bouteille de single malt sur la table. Pour qui le demande, elle cache une bonne carte d'alcools, la Linda.

— Vraiment ?

— Tu as goûté à son café comme moi. Elle aime la qualité et les produits fins. Et j'ai découvert sur le tard que moi aussi ! Si j'oublie de me présenter pour mon café de l'après-midi, elle m'appelle, juste pour être certaine que ça va.

— J'imagine mal un commis de *Starbuck* appeler chez nous pour prendre des nouvelles, dit Dominic.

— C'est le charme communautaire, synthétisa Berthe en dodelinant de la tête. Glace ? offrit-elle en revenant avec deux verres à whiskey.

— *Straight*.

Ils trinquèrent encore une fois. Un nouveau fantôme tourmentait Dominic : Adélaïde. Et il n'y avait qu'un moyen d'être certain que Hosanna et elle ne faisaient qu'une.

Dominic jeta un coup d'œil à l'album abandonné au bout de la table.

— Vous avez des photos d'Adélaïde, Berthe ? Ça m'aiderait peut-être à mieux me souvenir.

— Bien sûr que j'ai des photos. Les albums sont rangés au sous-sol, dit-elle en se levant et en se diri-geant vers une porte percée dans le mur au fond de la salle à manger.

Parfait, se dit Dominic.

— J'vais en profiter pour aller à la salle de bain.

— C'est la première porte à droite dans le corridor, mon grand, dit Berthe en relevant la languette de l'interrupteur.

L'invité quitta la pièce alors que la maîtresse d'école et de céans descendait l'escalier.

Dominic ne ressentait nul besoin urgent de visiter les cabinets. Il comptait plutôt profiter de cette diversion inespérée pour inspecter la maison plus avant. Aussi, sans s'arrêter devant la porte de la salle de bain, se dirigea-t-il droit vers celle au bout du couloir.

Plongée dans le noir, la chambre de Berthe paraissait assez grande, comme si on avait réuni deux chambres pour n'en faire qu'une.

Pas d'enfant, se souvint-il alors. Probablement le couple avait-il préféré avoir une chambre trop grande plutôt que deux petites dont l'une leur aurait rappelé constamment qu'elle n'accueillerait jamais leur descendance.

Afin de ne pas risquer d'attirer l'attention dans l'éventualité, improbable, où Berthe viendrait fureter par là, Dominic se contenta de l'écran de son téléphone pour s'éclairer.

La pièce paraissait propre et bien rangée. Un boudoir avait été aménagé dans la portion inférieure de la pièce. Quelques livres trônaient sur une table basse. Tout à côté, un bureau accueillait un ordinateur portable dont l'écran déplié était éteint. Une imprimante, une lampe de travail, éteinte elle aussi… Au-dessus de l'ameublement, un grand tableau habillait une partie du mur du fond. Le regard de Dominic ne fit que l'effleurer, à l'instar de la lumière trop diffuse de son téléphone. Il y avait du reste plus intéressant à voir.

Près de Dominic se trouvait en effet un lit de format « king » et, devant celui-ci, deux larges commodes sur lesquelles rien ne traînait. Rien, hormis un cadre de photo ovale au contour doré.

Après avoir tendu l'oreille, Dominic s'approcha et éclaira le cadre.

Lorsqu'il regagna le corridor, il crut percevoir une ombre en mouvement dans le salon en provenance de la salle à manger adjacente.

À pas feutrés, il se glissa dans les toilettes, tira la chasse d'eau et fit semblant de se laver les mains. Sa mystification terminée, il alla retrouver Berthe qui l'attendait avec un deuxième album ouvert devant elle.

— Adélaïde était un peu… simple, dit-elle en apercevant Dominic appuyé contre le cadrage. Mais elle était parfaitement autonome. Elle habitait la maison d'à côté. Nous étions jumelles, mais ça ne se voyait pas vraiment. Nous étions proches quand même. Très proches.

Dominic revint s'asseoir au moment où Berthe tournait l'album vers lui. Il aurait voulu fermer les yeux et respirer un bon coup avant de revoir le visage de sa gardienne. Il aurait voulu…

Être certain de la reconnaître.

— Je sais pas, Berthe. Sincèrement.

Il disait vrai.

Si Dominic se fiait à la photo sur laquelle Berthe posait avec sa sœur, cette dernière était du même gabarit que Hosanna. Sur l'image, Adélaïde devait avoir soixante-dix ans.

Il aurait pu s'agir de celle qu'il avait toujours appelée Hosanna, mais le visage n'était pas tout à fait le même. Ou peut-être que si? L'âge, les rides, peut-être? La ressemblance était trop prononcée pour qu'il se fût agi d'une coïncidence, finit par admettre Dominic à regret.

À regret, car cela impliquait non seulement que le souvenir de Hosanna venait de s'incarner, mais également que sa méchante gardienne était liée par le sang à sa gentille institutrice.

Hosanna… Où diable était-il allé pêcher ce prénom?

— La photo a été prise par Linda, dans ma cour, juste derrière. C'était l'été de la mort d'Adélaïde.

Elle avait soixante-douze ans. Je l'ai toujours couvée un peu parce qu'elle avait un souffle au cœur. Je passais mon temps à lui dire de se calmer. Elle était d'un naturel exalté, ma sœur.

Exaltée ou violente ?

— Tiens, regarde, elle était plus jeune, sur celle-là. Ça doit être en 1981, l'année de nos cinquante ans. Elle te gardait déjà, à ce moment-là… Non ? Ça ne te revient pas ?

S'intéressait-elle ou le testait-elle ? Soupçonnait-elle que sa sœur s'était… mal conduite ? Le savait-elle ?

Et elle-même ? Ces dehors de bonne fée marraine cachaient-ils en réalité une sorcière ?

Non, mieux valait ne pas rester à coucher, songea Dominic. Car peut-être se trouvait-il sans le savoir dans la maison de pain d'épices qui avait failli voir périr Hansel et Gretel. Ou Agathe et Jacinthe… ?

Toutes ces savantes déductions au casse-croûte de Linda… Confessions déguisées ? Aveux implicites ? Euclide, ce mari violent, quel métier exerçait-il ?

— J'me souviens pas non plus de votre mari, Berthe. Euclide, il faisait quoi, dans la vie, à part…

— À part lever le coude ? Il était camionneur.

Tiens donc. Linda avait-elle visé juste sans le savoir ? Et Berthe qui s'était bornée à un vague « quelqu'un qui voyage pour son travail »…

— Il avait deux camions, en fait, précisa-t-elle. Il les a vendus juste à temps. Juste avant que le dernier moulin ferme. Il avait le sens des affaires, faute d'autre chose. Il n'aimait pas beaucoup le monde. Il n'aimait pas beaucoup Adélaïde.

Berthe marqua une pause.

— En fin de compte, elle a déjoué tous les pronostics, ma sœur.

— À cause de l'âge auquel elle s'est rendue ?

— Non, répondit Berthe. Elle a déjoué tous les pronostics parce que ce n'est pas du cœur qu'elle est morte, mais d'un AVC. Elle est partie dans son sommeil. C'est ce que j'ai toujours voulu pour elle.

Berthe se tut encore, le regard lointain. Cachait-elle quelque chose au sujet de sa sœur « un peu simple » ?

Une chose était certaine, Berthe ne lui avait pas dit toute la vérité, Dominic en était convaincu.

CHAPITRE 5

UN EMPÊCHEMENT

Dominic prit congé, soulagé à l'idée de se remettre en route et de laisser Malacourt derrière lui, ne serait-ce que pour quelques heures.

Au moins, il n'avait pas perdu son temps, résuma-t-il en prenant place dans sa voiture. En effet, sa soirée chez Berthe avait ouvert une piste prometteuse. Pénible mais prometteuse.

L'horloge du tableau de bord indiquait « 20 h 37 » lorsqu'il démarra. À l'exception des lampadaires, seules les lumières de la station-service et du restaurant adjacent étaient encore allumées sur la Grand-Place à cette heure.

Après avoir brièvement jonglé avec l'idée de prendre un dernier café pour emporter, Dominic passa son chemin en se disant qu'il valait mieux ne pas risquer une insomnie induite par la caféine. Bientôt, le centre-ville de Malacourt disparut dans son rétroviseur.

Brusquement, il ralentit sur la chaussée déserte puis, poussant un profond soupir, opéra un virage en U. Il n'avait pas pris une fin de semaine de vacances, se gronda-t-il. Il était revenu pour découvrir qui avait assassiné sa mère et, possiblement, kidnappé trois fillettes à trente ans d'intervalle. L'heure n'était pas aux jérémiades et au repos du guerrier. De toute façon, quel genre de combattant était-il s'il fuyait le champ de bataille à la première occasion ?

Il traversa de nouveau la Grand-Place, cette fois vers le nord plutôt que vers le sud. Il repassa devant le bungalow de Berthe déjà plongé dans l'obscurité. Parvenu à la fourche du Diable, il prit à droite, vers l'est. Vers le Rang 2. Il ferait comme dans son rêve de la veille : il irait s'imprégner du décor de son enfance dans l'espoir de faire jaillir les souvenirs. Après les albums de Berthe, c'était la suite logique.

Dominic voyait poindre le pont de la rivière aux Fées aux confins de la lumière de ses phares lorsque, sans crier gare, une silhouette surgit de l'accotement et vint s'arrêter juste devant sa voiture. Dominic freina violemment en tentant une manœuvre d'évitement.

Le pneu avant droit creusa un profond sillon dans le gravier – Dominic entendit distinctement les gerbes de petites roches frapper le flanc droit de sa voiture. Il n'y eut pas de collision, aussi les coussins gonflables ne se déployèrent-ils pas. En dépit du prétensionneur de ceinture, Dominic se cogna assez durement le front contre le volant.

Dans l'énervement, il n'avait pu distinguer qui ou quoi avait eu la brillante idée de venir se planter au milieu de la voie.

Sonné, il descendit de voiture et regarda alentour. Personne. Le chemin était désert. Perplexe, Dominic alla examiner l'aile droite de son véhicule : de légères égratignures de surface causées par le gravier. Rien de bien méchant.

Lui, par contre, souffrait d'une vue qui se brouillait, par intermittence. C'était plus sérieux que chez Berthe, tout à l'heure.

Pris de vertige, Dominic s'appuya contre le capot. Le moteur tournait toujours…

— Qu'est-ce que…

Il se tut et plissa les paupières dans un effort pour rétablir sa vision. Sur le bord de la route étroite, il avait cru voir à l'instant un… un vélo ?

Péniblement, il s'approcha de l'endroit éclairé par les phares halogènes. Du foin et, ensuite, le fossé dans lequel Dominic avait été chanceux de ne pas se retrouver.

En revenant sur ses pas, il releva que, malgré le freinage et le coup de volant, sa voiture avait simplement l'air d'avoir été garée sur le bas-côté. Dans le noir, les traces laissées par ses pneus sur la chaussée se confondaient avec celle-ci.

Il s'y prit à deux fois pour tirer à lui la porte du conducteur restée entrouverte. Quand, enfin, il reprit place derrière le volant, il poussa l'interrupteur du plafonnier et examina l'étendue des dégâts dans le rétroviseur.

Il s'en tirerait peut-être sans ecchymoses, mais il n'en conserverait pas moins une marque permanente de sa curieuse mésaventure sous la forme d'une mince cicatrice. En effet, il s'était fendu la peau du front sur trois centimètres. Peu profonde, la blessure saignait néanmoins pas mal.

Agacé, Dominic essuya avec ses doigts une coulisse de sang qui menaçait de lui couler dans l'œil puis, à tâtons, chercha la trousse de premiers soins qu'il gardait sous le siège du passager. Lorsqu'il mit la main dessus, il en vida le contenu sur le siège.

Après avoir épongé le sang avec de la ouate, il sortit un long pansement rembourré de son emballage et le colla sur son front en essayant d'épargner sa ligne de cheveux en prévision du moment où il l'arracherait.

Sa vue paraissait rétablie. Il n'avait pas la nausée, il n'avait pas sommeil : pas de commotion cérébrale à l'horizon.

Étourdiment, il voulut démarrer la voiture mais coupa plutôt le contact. Dehors, la nuit redevint noire. Il n'avait pas croisé un seul véhicule depuis qu'il était parti de chez Berthe.

— Sacrament! pesta Dominic en redémarrant.

Le monteur ronronna, les phares se rallumèrent. Pressé de reprendre la route jusqu'à son ancienne maison, Dominic rajusta le rétroviseur mais, plutôt que d'y rencontrer une fois de plus le reflet de son front pansé, il aperçut le visage d'une fillette, elle aussi blessée au front.

Dominic la reconnut aussitôt: Jacinthe Lussier. Elle était assise sur la banquette arrière. Son cuir chevelu saignait tellement que ses boucles blondes ressemblaient à présent à…

— Une tuque rouge, souffla Dominic alors que sa vision se brouillait de nouveau. Faut que j'rentre à la maison…

L'allée de saules pleureurs, pourtant loin, prit forme devant lui. Il n'était plus dans sa voiture. Ce fut la dernière image qu'il vit avant de sombrer.

Il se trouvait sur le palier, devant la porte de sa chambre. La poignée refusait de tourner; verrouillée. De l'autre côté lui parvenaient les plaintes de son chien qui grattait furieusement le panneau de bois. Par l'interstice entre le plancher et la partie inférieure de la porte, Dominic pouvait voir l'ombre d'Obi-Wan s'agiter.

C'est alors qu'il remarqua la nappe de fumée qui recouvrait le sol. Cela ne pouvait provenir que du rez-de-chaussée, aussi Dominic se retourna-t-il vers l'escalier.

Tout lui paraissait normal quand, soudain, des flammes aux accents bleutés vinrent recouvrir marches et rampe en une impulsion ascendante, telle une immense langue qui léchait le bois en le carbonisant presque simultanément.

Paniqué, Dominic décida d'enfoncer la porte de sa chambre pour sortir Obi-Wan du pétrin, mais à sa grande surprise il la trouva ouverte.

Hosanna se tenait dans le cadre, bras croisés. Un rictus mauvais lui tordait la bouche. Phénomène étrange, son visage devint alors… flou. Celui d'Adélaïde s'y superposait par intermittence. Ils étaient tellement semblables… Finalement, la mémoire de Dominic était meilleure que ce qu'il avait cru.

Puis le faciès de la gardienne ne fut plus qu'une masse lisse dépourvue d'yeux, de nez et de bouche.

L'apparition décroisa les bras puis frappa deux coups secs sur le cadrage.

Dominic reprit connaissance, affalé sur le volant. Il tourna la tête en grimaçant. Il avait un mal de bloc épouvantable, mais il voyait clair, constata-t-il après s'être frotté les yeux.

C'était contre la vitre du conducteur qu'on avait cogné deux fois. Le sergent-détective Parent était debout dehors, légèrement penché sur la voiture immobilisée de Dominic.

À en juger par le degré de luminosité ambiante, et surtout par les élancements dans ses articulations, le lieutenant-détective Chartier comprit que c'était le petit matin et que, par conséquent, il avait passé la nuit dans sa voiture, inconscient. Peut-être souffrait-il d'une commotion, après tout ? Il avait de la chance de s'être réveillé et de ne pas avoir succombé à l'hypothermie.

À cette pensée, Dominic rajusta son blouson chaud, reconnaissant. Puis, se souvenant de Jacinthe, il se tourna derechef vers la banquette arrière. Inoccupée, il allait sans dire. Dehors, Vincent cogna de nouveau contre la vitre, impatient.

Dominic descendit de son véhicule en s'étirant.

— J'ai eu un accident en évitant un chien, cette nuit, bredouilla-t-il en refrénant une grimace de douleur.

— J'vois ça, dit l'autre en désignant le pansement du regard. T'es correct ? Un choc à' tête, faudrait t'amener à l'hôpital…

— Non, non, protesta Dominic. Ça va numéro un, à part que j'me sens comme un p'tit vieux d'avoir dormi assis dans mon char.

— T'as passé *out*, tu veux dire, corrigea Vincent d'un ton soucieux. Faudrait vraim…

— Oublie ça, le coupa Dominic sans appel. Y'est quelle heure, là ? s'enquit-il en consultant sa montre. Six heures et demie…

— J'allais déjeuner avant d'commencer ma journée. Tu vas au moins m'laisser t'offrir un café, dit Vincent.

C'était un ordre.

— Un café, j'dis jamais non, consentit Dominic en s'étirant une dernière fois avant de remonter dans sa voiture.

Vincent le regarda aller, l'air réprobateur, puis il regagna son auto-patrouille garée non loin du pont.

En se calant dans son siège, Dominic effectua quelques moulinets cervicaux afin d'assouplir les muscles endoloris de son cou.

— Attends une minute… commença-t-il en réalisant que le moteur était éteint.

Il démarra aussitôt et constata qu'il n'avait consommé ni essence ni batterie durant la nuit. Il avait dû perdre connaissance après avoir coupé le contact par mégarde, sonné qu'il était, et rêvé à Jacinthe. L'animal qu'il avait probablement croisé sur la route (un animal, ce devait être un animal ; un chien) jumelé à cette… illusion d'optique, en sortant du casse-croûte le matin précédent, la fillette assise sur la banquette arrière : les deux éléments avaient dû fusionner dans son esprit pour produire ce rêve macabre.

Ce ne pouvait être qu'un rêve, insista-t-il. Trop.

Aussi rationnelle et rassurante fût-elle, cette théorie n'expliquait pas pourquoi c'était Jacinthe en particulier qu'il avait vue.

S'adonnant à sa seconde infraction au code de la route en moins de vingt-quatre heures, Dominic effectua un autre virage en U et partit à la suite de Vincent qui, devant, n'était sans doute guère impressionné par son confrère du SPVM.

— 'M'en câlisse, marmonna Dominic, qui se souciait pour l'heure surtout de son mal de tête carabiné.

Par-delà les champs et la forêt avoisinante, la ligne d'horizon garance annonçait la fin temporaire du règne de l'indigo dans le ciel encore assoupi et, c'était d'ores et déjà discernable, couvert. Même s'il disparaîtrait presque aussitôt derrière les nuages, le sommet de l'astre du jour serait visible sous peu, brièvement.

Cette certitude, inexplicablement, rasséréna Dominic.

Sur la Grand-Place, le coup d'œil ressemblait à s'y méprendre à celui de la veille : seules les lumières de la station-service et du station-service-*diner*-dépanneur étaient allumées. Avec un synchronisme parfait, les lampadaires s'éteignirent dès que les deux voitures ralentirent.

Dominic se gara pile au même endroit que la veille. Vincent en fit autant. Avant de descendre, Dominic tira le levier du coffre arrière puis alla y récupérer son sac de sport. Il y gardait toujours une tenue propre pour son entraînement quasi quotidien au gymnase. À défaut de son sac de voyage…

Dominic considéra son iPad, puis le laissa où il était : il ne lirait quand même pas son journal virtuel à la face de Vincent.

Par politesse encore, il attendit le sergent-détective Parent, qui le rejoignit devant la porte du restaurant, désert à cette heure matinale.

— On est chanceux que Linda soit une lève-tôt, dit Dominic en essayant d'égayer son humeur.

En effet, il tenait à avoir Vincent de son côté. Ils possédaient chacun certaines pièces du casse-tête que Dominic était venu compléter.

— Elle ouvre à six heures tous les matins, sept jours sur sept. Entre six et huit, elle s'occupe du resto pis d'la pompe, lui apprit Vincent en montrant ladite pompe à essence du pouce. À huit heures, y'a un jeune qui vient prendre le relais d'la station-service pour que Linda gère son *rush* de déjeuners. C'est dur de trouver plus vaillant qu'elle, conclut-il en ouvrant la porte.

— M'as dire comme toi, renchérit Dominic, qui humait déjà les arômes corsés.

Plongée dans des mots croisés, Linda ne releva par la tête immédiatement.

— Viens t'asseoir, mon Vincent, dit-elle néanmoins. « Difficile à comprendre » en huit lettres. Un Y comme quatrième lettre.

— Sibyllin, répondit Dominic.

Surprise, Linda leva les yeux de sa grille.

— Ah ben, regarde la belle visite à matin ! s'exclama-t-elle avec son expressivité habituelle. Emménages-tu ? demanda-t-elle en remarquant son sac.

Se désintéressant du bagage à main de son client, Linda remarqua alors l'état de ce dernier.

— Seigneur ! La nuit a été *rough* ! Vous vous êtes pas battus, au moins ?

Dominic et Vincent échangèrent un regard surpris puis firent tous les deux « non » de la tête.

Décidée à connaître le fin mot de l'histoire, Linda reprit :

— C'est pas mêlant : on dirait qu't'as passé la nuit sur la corde à linge pis qu'les épingles ont lâché !

— On peut dire ça, Linda, répondit Dominic en enlevant son blouson de cuir et en le posant sur l'un des tabourets. Si tu permets, j'vas utiliser ta salle de bain.

— À droite après l'comptoir.

Puis, reportant son attention sur Vincent, elle le prévint :

— Toi, tu vas m'raconter c'qui lui est arrivé ou t'auras pas d'café.

Sourire en coin, Dominic s'enferma dans la minuscule salle de bain, ferma le couvercle de la toilette pour y poser son sac de sport et retira son t-shirt. Après avoir arraché une poignée de serviettes de papier au distributeur mural, il y fit mousser un peu de savon à main puis se lava le torse, le dos et les aisselles. Au contact de l'air, sa peau nue se couvrit de chair de poule.

Le haut du corps terminé, il jeta la boule de serviettes à la poubelle et en confectionna une seconde, celle-là destinée à une utilisation en bas de la ceinture.

Après s'être rincé le cuir chevelu en prenant garde à sa blessure, il se sécha la tête avec son t-shirt avant de l'échanger contre un second, propre et sec celui-là, qu'il sortit de son sac de sport avec son bâton de désodorisant.

Il s'agissait d'un t-shirt blanc tout simple, de type camisole, ajusté. Ses aisselles embaumant à présent la brise marine, Dominic l'enfila. Pas une fois il ne s'était regardé dans le miroir.

Comme il refermait son sac, il se souvint de sa casquette de balle-molle, rangée dans un compartiment à l'une des deux extrémités. C'était une casquette marine avec un logo discret du SPVM brodé en blanc sur le côté droit. Dominic s'en coiffa afin de dissimuler son pansement. Un bref coup d'œil à la glace fatiguée… L'effet lui parut tout à fait convenable.

En détachant les yeux de son reflet, il revit l'image de Jacinthe dans son rétroviseur avec encore plus de précision que la nuit précédente. L'écoulement de sang, les boucles blondes souillées, le front entièrement rougi, et ce regard… de la surprise? De l'incompréhension?

Dominic serra le rebord du lavabo de porcelaine sous l'effet du mal de tête qui lui vrillait les tempes. Du *diner* lui parvinrent les rires conjugués de Linda et de Vincent, puis celui d'une troisième personne. Décidé à se secouer, Dominic se redressa, bien droit, puis s'administra deux claques sur les joues.

— Réveille, le gros, s'ordonna-t-il en regardant cette fois à côté de son reflet.

Pendant que Dominic se rafraîchissait, le restaurant avait commencé à se remplir. La battue reprendrait à sept heures et demie, soit dans moins de trois quarts d'heure, et manifestement, il s'en trouvait plusieurs à Malacourt qui avaient décidé de ne pas se faire eux-mêmes à déjeuner.

En le voyant émerger des cabinets, tout propre et chapeauté, Linda lui adressa une moue approbatrice, les deux mains sur les hanches.

— Mon ami va prendre un café, madame *Tea Pot*, l'agaça Vincent en finissant sa première tasse.

— Baveux d'même, une chance que t'es *cute*, répliqua Linda en poussant une tasse fumante devant Dominic, qui s'était assis sur les entrefaites.

Ce fut la dernière fois de la matinée que Linda resta immobile.

Les commandes, la plaque de cuisson et les réchauds : chacun de ses gestes subséquents semblait s'inscrire dans une chorégraphie maintes fois répétée, et exécutée ce matin-là avec l'aisance d'une pro.

Dominic enfourna trois œufs tournés jambon pain brun et Vincent, deux œufs brouillés bacon pain de ménage. Ils déjeunèrent en limitant la conversation aux banalités. Dominic était impatient d'en apprendre davantage sur l'enquête en cours, mais le contexte ne s'y prêtait pas. Il devrait attendre d'être de nouveau seul avec le sergent-détective Parent qui, du reste, ne se ferait probablement pas prier pour parler.

CHAPITRE 6

LA BATTUE – DIMANCHE

Dimanche 23 septembre, sept heures quarante-deux – Vincent s'arrêta en plein milieu du champ de Ludgé Tremblay et pencha la tête par en arrière, les yeux levés vers le ciel.

— Ça regarde pas ben, annonça-t-il d'un ton préoccupé.

Dominic garda le silence. Il n'y avait rien à ajouter. Les recherches seraient compromises, c'était couru d'avance. Mais les agents comme les bénévoles n'avaient d'autre choix que de ne pas y penser, le sergent-détective Parent le premier.

Dominic savait exactement ce que vivait son confrère à ce moment-là. En pareilles circonstances, l'impuissance face aux forces de la nature ne pouvait que contribuer à l'accablement de ceux qui, comme Vincent et lui, ne savaient que trop qu'avec chaque jour qui passait – à ce stade, chaque heure –, les chances de retrouver Léanne Saint-Arnaud s'amenuisaient comme peau de chagrin.

En termes de froides probabilités, la possibilité qu'elle fût encore en vie était à peu près nulle, autre source de découragement que Vincent devait taire afin que soit maintenu un niveau de motivation optimal.

Spontanément, Dominic donna une tape bien sentie dans le dos de son confrère avant de se remettre en marche, aussitôt imité par ce dernier.

Ce matin-là, c'est en suivant une diagonale sud-est qu'ils traversèrent le champ afin de reprendre où ils s'étaient arrêtés la veille.

— J'aimerais ça qu'on puisse se rendre jusqu'au débarcadère, dit Vincent en atteignant la lisière de la forêt.

Avant d'arriver à la descente de bateaux, ils passeraient forcément par la maison de Dominic, qui se trouvait alors à deux kilomètres d'eux.

— On a déjà passé les alentours de ton ancienne maison au peigne fin, indiqua Vincent en s'enfonçant dans le bois à ses côtés. Les jeunes aiment y aller, pour se faire des peurs. C'est que vois-tu... Ben, c'est plate à dire, considérant...

— La place a la réputation d'être hantée ? devina Dominic en marchant d'un bon pas.

Rien, ça ne lui faisait rien...

— Oui, c'est ça, admit Vincent en accélérant un peu la cadence afin de rejoindre son confrère.

Un après l'autre, ils croisèrent les bénévoles et les agents qui formaient un cordon relativement serré, chacun portant son dossard orange, chacun attendant en position que Vincent donne le signal de départ pour l'avant-midi. À cet égard, il était peu probable que le souhait formulé plus tôt par le sergent-détective Parent se réalisât : ils auraient en effet de la chance si l'averse ne tombait qu'en après-midi.

— La maison avait déjà cette réputation-là quand j'étais p'tit, enchaîna Dominic. La maîtresse du premier curé de Malacourt s'y serait suicidée, qu'on disait. Les histoires que la maison était hantée dataient de ben avant qu'ma mère emménage.

Nul doute qu'à présent il devait se trouver des colporteurs de ragots pour affirmer que le fantôme de Diane Chartier tenait compagnie à celui de la première occupante de la propriété.

— Quand j'suis arrivé dans l'coin y'a deux ans, ç'a pas été long qu'j'en ai entendu parler, confirma Vincent en ayant la délicatesse de ne pas développer. Mais j'pense à ça : tes amis devaient avoir la chienne de venir jouer chez vous ?

Dominic fut pris de court par la question, à laquelle il ne trouva pas de réponse.

— Aucune idée… On était loin d'la ville… Pas sûr que mes amis venaient. Tant qu'à ça… pas sûr que j'avais ben des amis…

Marchant toujours près de lui, Vincent l'observait attentivement, de biais. Dominic s'en rendit compte.

— Je reprends l'bord d'la rivière ? demanda-t-il en s'esquivant.

Il devinait le cours d'eau entre les arbres.

— Euh… oui, oui. Parfait, approuva Vincent.

Dominic se dépêcha d'aller se mettre en position, coupant court à l'ébauche d'un constat potentiellement douloureux.

Il avait conscience d'avancer et de reculer dès lors que sa mémoire était concernée, et il enrageait contre lui-même, contre son attitude, mais c'était plus fort que lui. Il voulait se souvenir, mais… il avait peur de se souvenir.

Déjà que la distance entre sa gardienne et lui s'était amoindrie…

Un vent du nord s'était levé au cours de la dernière demi-heure, charriant avec lui des nuages dont la couleur charbonneuse ne laissait présager rien de bon pour les recherches. La pluie qui gorgeait leurs ventres tendus irait gonfler la Matshi déjà grasse pour la saison.

Dérangée dans son cours apparemment indolent mais puissant sous la surface, la rivière crachait ce matin-là des lames de houle qui venaient noyer les berges.

L'orage couvait.

L'avant-midi fila rapidement. Cette fois, pas un cri, pas un sifflement n'interrompit les recherches. Le dos courbé, le regard nerveux quadrillant chaque parcelle de terrain, Dominic avait retrouvé son mode de fonctionnement robotique du jour précédent.

Un bouchon de plastique et une vieille planche de bois pourrie hébergeant une famille de sangsues : telles furent les seules trouvailles de Dominic.

À midi, le sifflet retentit et Vincent vint le chercher pour le lunch peu après. Dominic se redressa alors pour la première fois depuis plus de quatre heures.

— Ouin… fit-il en découvrant un ciel prêt à se fendre.

— Comme tu dis, mon Dom. Comme tu dis.

L'averse était inévitable. Les éclairs aussi. Fatalement, les recherches seraient compromises cet après-midi-là. Pour Dominic autant que pour Vincent, il s'agissait d'une certitude, mais ni l'un ni l'autre n'avait le cœur d'énoncer l'évidence autrement qu'à demi-mot, comme ils venaient de le faire.

— Ça donne rien d'rester là à brailler, reprit Vincent. Viens, on va aller dîner.

Avant de le suivre, Dominic eut un dernier regard pour la rivière malmenée par le vent.

— Attends ! lança-t-il en apercevant une tache claire qui apparaissait puis disparaissait sous l'eau, près de la rive.

Vincent revint aussitôt sur ses pas, une note d'espoir dans le regard.

Accroupi tout au bord de la rivière, une main agrippant fermement une branche pour éviter de tomber à l'eau, Dominic écarta un bouquet de quenouilles de son autre main puis la plongea dans quelques centimètres d'eau. Il remua la vase et, le cœur battant, en extirpa un objet sphérique un peu plus gros qu'une boule de billard.

— Qu'est-ce que ?... commença Vincent en s'approchant.

Dominic essuya délicatement la boue. Une tête de poupée, borgne, constata-t-il, déconfit. La tête en bas, elle semblait le narguer. Outre l'un de ses yeux de verre, il lui manquait quelques touffes de cheveux. Lorsque Dominic remit la tête à l'endroit, une salamandre dodue et visqueuse tomba à l'eau, sans doute contrariée d'avoir été ainsi chassée de chez elle.

— Une catin, fit Dominic en montrant à Vincent sa trouvaille qui n'en était pas une.

À onze ans, Léanne Saint-Arnaud avait probablement passé l'âge de jouer à la poupée. Une chose était certaine, elle n'en traînait pas une sur son vélo au moment de sa disparition. Et à bien y regarder, la tête de plastique avait dû séjourner dans la rivière plusieurs mois.

Néanmoins, peut-être parce qu'on associe naturellement les poupées aux petites filles, Dominic ne put s'empêcher de voir un mauvais présage dans sa découverte. C'était une impression complètement irrationnelle, mais ainsi fonctionnait son instinct et, pour le meilleur ou pour le pire, son instinct le trompait rarement.

Comme s'il lui avait brûlé la main, Dominic lança le bout de plastique de toutes ses forces dans la rivière.

— T'as du bras, commenta Vincent. Bon, on retourne à' grange ? Les sandwichs pas d'croûte de Linda sont presque aussi bons qu'son café.

Vrai.

Les deux hommes s'éloignèrent de la rive en se frayant un passage parmi les branchages que Dominic avait inspectés en vain. Malgré les trésors de bonhomie déployés par Vincent, la mine abattue des deux policiers trahissait la teneur réelle de leurs pensées profondes.

Le vent soufflait toujours. Au loin, le tonnerre gronda. De fortes pluies commencèrent à tomber pendant que les policiers et les bénévoles se sustentaient dans la grange. Il y avait du monde partout. Dehors, près de la porte, un petit attroupement de fumeurs irréductibles s'adonnaient à leur vice en s'abritant sous leurs manteaux et leurs parapluies.

Ce jour-là encore, Linda avait fourni le repas. Au menu : spaghettis bolognaise en plus des sandwichs et, pour dessert, six contenants de plastique d'un litre chacun remplis à ras bord de carrés aux dattes. Dominic en grignota un mais, pas plus que la veille à la même heure, l'appétit n'y était.

Au centre de la grange, Vincent débriefait ses troupes, l'air grave. Attentifs, ses subalternes écoutaient ses instructions, le front plissé par la concentration. Hochements de tête, mines basses. La jeune consœur qui avait tapé dans l'œil de Dominic, le jour d'avant, était au nombre des agents débinés.

Dominic lui aurait volontiers demandé d'être son cadeau d'anniversaire, plus tard en soirée, mais il avait remarqué qu'elle et un autre agent s'envoyaient des œillades tout en essayant gauchement de cacher leur jeu à leurs collègues.

Pas plus catho qu'un autre en dépit des messes dominicales auxquelles il avait assisté durant son enfance, Dominic avait néanmoins pour principe de ne

jamais convoiter la femme de son voisin. À moins
bien sûr que la femme de son voisin l'y invitât, auquel
cas les principes prenaient le bord. Mais ils n'en
étaient pas là, la belle agente et lui, tant s'en fallait.

Alors, alors… Il était plus que temps d'élaborer
un plan B pour ce soir. Facile à dire, soupira-t-il inté-
rieurement.

Une nuit dans les bras de Linda était inconcevable.
Pas à cause de son âge, mais parce que Dominic,
aussi absurde que ce fût, aurait eu l'impression de
coucher avec sa tante. Quant à madame Berthe, eh
bien, il ne se sentait pas l'étoffe d'être le Harold de
sa Maude[4].

Même s'il rentrait à Nottaway suffisamment tôt
pour sortir en boîte et ramasser une fille, quelque
chose lui disait que cette année il finirait la veillée de
son anniversaire avec la veuve poignet. Un pressen-
timent.

Ses consignes données à ses troupes, Vincent s'apprêtait à s'adresser à l'assemblée de bénévoles.

— OK, tout l'monde ? Ici, dit-il d'une voix auto-
ritaire. Un gros merci pour votre temps pis votre dévouement. Je suis convaincu qu'la famille de Léanne
vous en est reconnaissante.

Quelque part dans la foule, un sanglot étouffé se fit
entendre ; murmures de réconfort, regards apitoyés.

Marquant une pause, le sergent-détective Parent
reprit :

— Comme vous vous en doutez, on pourra pas
continuer les recherches cet après-midi. On a eu la
confirmation qu'l'orage passera pas à côté d'nous
autres. La pluie devrait tomber dru jusqu'à tard cette

---

[4]   *Harold and Maude*, Paramount, 1971. Réalisation : Hal Ashby.
      Scénario : Colin Higgins. Un tout jeune homme issu d'un milieu
      bourgeois s'éprend d'une femme bohème âgée de soixante-dix-neuf
      ans.

nuit. Le vent va rempirer. Dans l'bois, ça sera pas allab'. Le mieux qu'vous pouvez faire pendant c'temps-là, c'est de rentrer chez vous pis d'vous sécher les pieds pour pas pogner la grippe…

Des rires diffus s'élevèrent. Tout le monde avait besoin de se changer les idées, et les blagues, même moyennes, étaient les bienvenues.

— … parce qu'on vous attend demain matin à sept heures et demie, pour ceux qui peuvent même si c'est lundi, reposés pis prêts à donner une grosse bourrée. Y devrait faire beau pis on va profiter de chaque minute de clarté. Si vous avez des questions ou que quelque chose vous revient, n'importe quoi, vous communiquez avec nous autres. Vous avez une pile de cartes d'la SQ sur la table, à côté des dossards. En prenant un dernier sandwich, ramassez-en don' une.

Par petits groupes discutant à voix basse, les bénévoles quittèrent la grange. Les gens se pressaient ; il pleuvait fort. Rapidement, le champ des Tremblay fut dégarni de ses voitures.

Occupé à observer le spectacle du départ, Dominic n'eut pas connaissance que le sergent-détective Parent l'avait rejoint.

— Qu'est-ce que t'as au programme pour l'après-midi ? demanda-t-il au Montréalais égaré.

— Euh… aucune idée, avoua Dominic en se tournant vers Vincent.

— Bon, ben, tu vas venir prendre une bière à' maison, annonça Vincent en faisant mine de partir.

— Là, là ? protesta Dominic en regardant autour d'eux. T'as pas… je sais pas, un rapport à remplir, des vérifications à faire ? un débriefing à Nottaway ?

Dominic ne voulait surtout pas avoir l'air de donner des leçons procédurales à son confrère, mais la proposition de Vincent, dans le contexte d'une enquête sur une disparition (fort probablement un enlèvement et un homicide, tout le monde ici en avait conscience), était inusitée.

Vincent ne parut pas s'offusquer des réserves formulées par Dominic.

— À ce stade-ci, y'a pas d'rapport à remplir parce que y a pas d'nouveaux éléments. Rien pantoute. Pour être ben franc avec toi, mon Dom, on n'est pas plus avancés après-midi qu'on l'était mardi soir. Elle s'en allait voir sa p'tite amie en bicycle. Plein d'monde l'ont vue passer sur la Grand-Place. Plus loin, j'ai une automobiliste qui habite dans l'Rang 1 qui l'a vue tourner sur le chemin vers le Rang 2, à' fourche du Diable. Passé ça, pus rien, à part son bicycle abandonné à côté du pont d'la rivière aux Fées. Comme j't'ai dit hier, on a commencé par la draguer, la rivière, qui est traître en masse, pis après, le lac à la Grenouille, au cas…

— Pis l'père de l'amie, Ludgé Tremblay? chuchota Dominic afin d'éviter d'être entendu par des oreilles indiscrètes, nommément celles du propriétaire des lieux.

— Avec sa femme pis sa fille. Pis une belle-sœur. Alibi solide, résuma Vincent. C'est pareil dans l'reste du rang. On a inspecté les propriétés avec un maître-chien…

En 1982, Gérard Surprenant avait été inculpé sans aide canine. Une simple tournée de porte en porte le soir des deux disparitions avait permis à un agent de repérer une marque de sang près du coffre arrière de la voiture du directeur d'école.

— Rien de moindrement louche, continua Vincent. Tout l'monde était ben heureux d'collaborer.

Il se tut, son regard rivé à ses bottines à bouts renforcés, son visage soudain fermé.

— La p'tite s'est volatilisée, criss, échappa-t-il dans un soubresaut de désarroi. Ça fait que je sais pas pour toi, mais moi, j'ai besoin d'une bière.

Évidemment, au fond, cette invitation impromptue arrangeait Dominic. Ce serait l'occasion d'apprendre tout ce qu'il y avait à savoir, d'une part, sur l'enquête (quoique là-dessus, il commençait à avoir fait le tour) et, d'autre part, sur les bonnes gens de Malacourt potentiellement suspectes. Vincent avait forcément des idées sur la question.

En parallèle, Dominic réalisait aussi que Vincent ne se montrait pas tant accueillant à son égard que désireux d'évacuer un peu de frustration en s'adonnant à une activité toute mâle : les confidences autour d'une bière.

En fait, comprit Dominic, il constituait une soupape idéale pour Vincent qui, en plus de celle qu'exerçaient ses concitoyens, devait se mettre énormément de pression sur les épaules. À cet égard, Dominic reconnaissait une part de lui-même en Vincent.

Or, comme pouvaient en attester tous les psys de la planète, il était plus facile de se confier à un parfait étranger qu'à un collègue ou à un proche. Et apparemment, Dominic était cet étranger pour Vincent, qui pourrait de surcroît lui parler sans se censurer puisque Dominic était policier lui aussi. Vincent ne pouvait du reste pas avouer à ses agents qu'ils n'allaient nulle part. Sans doute ceux-ci le devinaient-ils, mais le travail de Vincent était de garder ses troupes alertes et enthousiastes, Dominic ne le savait que trop.

Oui, se dit celui-ci, il était évident que Vincent avait besoin de boire un coup. Et lui aussi, il le craignait.

— *Come on*, insista Vincent. Officiellement, j'suis supposé être en vacances pour la chasse. Pis qu'est-ce que tu penses que j'aurais faite à' chasse, par un temps comme ça ?

— T'aurais probablement sorti une douze, répliqua Dominic en esquissant le début d'un sourire.

— Je l'ai vu, ça, releva Vincent en indiquant le visage de son confrère. Enweye, suis-moi. J'ai une caisse de vingt-quatre dans l'garage. Ça va-tu faire pareil ?

— Attention, le prévint Dominic. J'ai pas d'fond.

Voilà qui semblait convenir à Vincent. Dominic ne voyait pas son visage, car Vincent se dirigeait vers la sortie de la grange et lui tournait le dos, mais ses épaules tressautaient sous l'effet d'un fou rire.

Dominic suivit Vincent jusque chez lui et se gara derrière l'auto de patrouille. La maison de Vincent était entourée de champs, comme celle de Ludgé Tremblay d'où ils arrivaient. Pas d'arbres avant la forêt au creux de laquelle stagnait le lac à la Grenouille, au fond de la terre. À une dizaine de mètres de la maison, le tas de planches qui avaient jadis formé une grange avait commencé à être mis en ordre ; de la bergerie, il ne restait rien. Plus loin, formant un angle droit avec l'orée des bois aux confins de la propriété, la muraille forestière se dressait sur le versant sud de la terre, en direction du village.

Ainsi, on se retrouvait loin de tout, mais, paradoxalement, privé d'intimité puisque n'importe qui passant par-là pouvait voir à l'intérieur de la maison.

Quoique personne ou presque ne passait par ici, se rappela Dominic. Hormis des fillettes à vélo…

Un large éclair bleuté fendit le ciel foncé, du côté nord. Un premier véritable coup de tonnerre éclata en un écho puissant, intimidant.

En descendant de voiture, plutôt que de se diriger vers la porte d'entrée, Vincent courut sous la pluie jusqu'au garage. Il fouilla dans la poche de son manteau sous son imperméable et en sortit un porte-clés bien garni. Il chercha la bonne clé et, entre deux jurons destinés à l'averse, la fit tourner dans la serrure de la porte latérale du garage presque aussi gros que la maison à même laquelle il avait été construit.

Dominic y entra à la suite de Vincent en se couvrant la tête avec son blouson de cuir alors que son hôte poussait le bouton de l'interrupteur. La lumière faite, Dominic enregistra automatiquement les données principales du lieu, un espace vaste composé d'une grande dalle de béton nue, de murs isolés mais pas fermés, et occupé notamment par le véhicule personnel du sergent-détective Parent : un pickup rouge pétant de l'année. Tout à côté se trouvait une motoneige remisée sous une bâche. Un tracteur à gazon, une souffleuse à neige… Sur la droite, un établi plein de copeaux de bois exhibait l'outillage classique du bricoleur, tandis qu'accrochés au mur par ordre de grandeur, des ciseaux à bois en une variété impressionnante suggéraient un sculpteur amateur.

Au fond du garage et flanquant un réfrigérateur ancien à contours arrondis, deux fauteuils de cuir brun usé avaient l'air très confortables. Le seul élément décoratif – mais quel élément ! – se trouvait accroché sur le mur du fond, au-dessus du frigidaire à bière.

Immortalisé dans un ultime saut, un espadon ayant dû peser deux cents livres au bas mot aiguillonnait le vide de son rostre pointu.

Dominic ne put retenir un sifflement admiratif devant le monstre.

— Un souvenir de pêche du Cap d'Agde, sur la Méditerranée. Laisse ton *coat* sur l'établi, dit Vincent en y abandonnant le sien, content de l'appréciation témoignée envers son trophée. Le garage est chauffé, *anyway*. Assis-toi, ajouta-t-il en désignant le fauteuil de gauche.

Tandis que le propriétaire des lieux prenait deux bières dans le réfrigérateur, Dominic se cala dans son siège.

— Ça doit être dur de se relever d'là, commenta-t-il en prenant la bière que Vincent lui tendait.

— Pas pire confortable, hein ? Deux des rares meubles que j'ai récupérés du divorce, confia-t-il en cognant sa bouteille contre celle de Dominic avant de se laisser choir dans le fauteuil de droite, yeux clos, soupir aux lèvres.

— Ostie qu'c'est vidant, dit-il en rouvrant presque aussitôt les yeux, incapable de se détendre tout de suite.

— On en rencontre toutes des comme ça, assura Dominic en une allusion implicite à l'enquête qui n'aboutissait pas.

— Je l'sais ben, admit Vincent en buvant une longue rasade de bière. Mais criss que ça fait chier pareil.

Dominic n'ajouta rien, car c'était la pure vérité.

— Si t'es comme moi, j'suis certain que t'as considéré tous les éléments que t'as en main, que tu les as virés d'un bord pis de l'autre. Pis que si t'avances pas, c'est parce qu'il t'en manque un bout important, pas parce que t'as mal regardé, crut néanmoins bon d'ajouter Dominic.

Sa manœuvre visait autant à ramener la discussion sur un plan moins déprimant qu'à bouger un premier pion. Car si Dominic avait accepté l'invitation de Vincent, ce n'était pas uniquement pour écouter ses doléances. En effet, ainsi armé d'une bière, Vincent pourrait se vider le cœur, comme il avait d'ailleurs commencé à le faire, en plus d'évoquer d'éventuelles impressions et suppositions, ne serait-ce que pour bénéficier du regard extérieur de Dominic, un autre policier d'expérience et, de ce fait, fiable.

Et le contenu de ces impressions et supputations s'avérerait forcément utile pour Dominic.

Peut-être quelque chose lui reviendrait-il. Peut-être le présent éclairerait-il le passé, et vice-versa.

Vincent médita les paroles de Dominic, pensif, puis il vida sa bière. Il jeta un coup d'œil furtif à celle de Dominic, intacte, puis il s'en servit une deuxième sans mot dire.

Ce silence ni désagréable ni embarrassé dura une bonne minute. Chacun des deux hommes s'était momentanément retranché dans son for intérieur afin, pour l'un, de rassembler ses idées et, pour l'autre, d'envisager la suite de l'interrogatoire déguisé.

— Tu sais qu'on est voisins ? dit Dominic en considérant sa bouteille qui tiédissait.

— Oui, opina Vincent. On a parlé d'ta maison, hier. Ton coup à' tête t'as-tu rendu amnésique ?

Dominic ne releva pas l'ironie de la boutade, Vincent ignorant que son invité souffrait effectivement d'amnésie, et pas que depuis la veille.

— Parlant d'voisinage, reprit Vincent, quand j'ai acheté, l'agent d'immeuble s'est ben gardé d'me dire que la maison d'en face avait appartenu à tu-sais-qui.

N'eût été du fait qu'il croupissait en prison, Gérard Surprenant aurait en effet pu être le voisin le plus proche du sergent-détective Parent.

— La maison brûlée au bout de l'allée de saules pleureurs… poursuivit Vincent en laissant Surprenant là où il se trouvait et en revenant à Dominic. Y reste pus grand-chose d'la place. Comme j'te disais c'matin, rappela-t-il, on est passés par-là l'premier jour. Mes hommes autant qu'nos chiens ont fait patate. Y paraît que c'était une belle maison ?

— Oui, y m'semble, répondit Dominic en essayant de convoquer une image mentale nette.

— La municipalité a rien touché, ajouta Vincent en prenant une gorgée. Ça doit coûter moins cher d'la laisser pourrir sur pied que d'la faire démolir, j'imagine. *Anyway*, c'est pas comme si ça gâchait le paysage : on voit rien du chemin. Mais les ruines sont là, toutes noires. Quand j'ai acheté ici, j'ai fait l'tour des environs. J'en ai marché une *shot*, pour voir les alentours. M'as t'avouer que dans l'état que c'est, j'ai pas d'misère à comprendre pourquoi la place a la réputation d'être hantée, conclut Vincent en regardant devant lui d'un air pénétré, comme s'il se trouvait devant les décombres.

Il fallait en convenir : tout cela tombait sous le sens. Une maison isolée, un incendie, une belle jeune femme qui périt dans le brasier... Envoyez les fantômes !

Dominic eut un petit rire cynique par-devers lui. Y voyant à tort une marque d'agacement, Vincent enchaîna :

— Ça fait que, en des temps meilleurs, on aurait pu être voisins, hein ?

— On l'est, insista Dominic, la mine cryptique. Le terrain pis tout c'qui s'y trouve, c'est encore toute à moi. J'paye mes taxes municipales. Techniquement, je suis encore un citoyen d'Malacourt.

La nouvelle surprit Vincent. S'en apercevant, Dominic expliqua :

— Ma mère avait un peu d'argent qui lui venait d'ses parents pis d'mon père.

— Y paraît qu'ta mère, c'était la plus belle femme du comté, pis généreuse pis bonne en plus.

— C'est vrai, confirma Dominic, qui aurait aimé s'en souvenir mieux. Je sais pas si c'est l'destin qui a voulu compenser ses qualités, mais mettons qu'elle a pas été chanceuse. Elle était enceinte de deux mois quand mon père est mort. Y s'est noyé dans l'bain d'leur appartement. Quèqu'chose de niaiseux rare.

— Veux-tu plus bête ? répliqua Vincent en le mettant au défi. J'ai une tante qui est morte noyée dans sa douche. Une douche ! Elle a glissé, elle s'est assommée, mais elle est tombée le visage face au jet. Elle a respiré d'l'eau lentement mais sûrement. Pis 'est morte là. J'aurais pas voulu être mon oncle quand il l'a trouvée…

— Mon père aussi a glissé, mais son bain était déjà rempli. Ma mère s'en est rendu compte assez vite parce que, dans son état, elle avait la vessie chatouilleuse. Elle a voulu aller aux toilettes pis c'est comme ça qu'elle l'a découvert. Ça faisait juste quèques minutes, mais y'était déjà trop tard.

— Elle t'a conté tout ça quand t'étais flo ? s'étonna Vincent.

— Non, elle en parlait jamais. Je l'ai entendue le raconter à madame… à Berthe. Ça lui arrivait de venir prendre un café à' maison, des fois.

Oui… Oui, ça lui revenait. Berthe leur rendait visite, à l'occasion…

— Pis les parents d'ta mère ? T'as dit que…

— Eux autres aussi, acquiesça Dominic en affichant une moue résignée. Presque tout d'suite après mon père. Dans leur cas, c'est plus triste. Ils se sont suicidés. Ma grand-mère leur a préparé un bon souper, à elle pis à mon grand-père. Sauf qu'elle a échangé le contenu de l'armoire à épices contre celui d'la pharmacie.

Vincent écarquilla les yeux comme s'il voyait la scène en direct.

— Mon grand-père avait un cancer en phase terminale, j'pense, relata encore Dominic. Ils ont laissé leurs économies à ma mère, leur maison… Tu peux comprendre qu'elle avait pas envie d'habiter là, enceinte en plus. Au moins cette fois-là, c'est pas elle qui les a trouvés. C'était un mois après la mort de mon père. Il a fallu qu'elle soit courageuse rare.

Dominic remit de l'ordre dans ses idées puis reprit:

— Elle avait commencé à enseigner avant d'rencontrer mon père, y m'semble. Oui, y m'semble ben l'avoir entendue raconter ça à Berthe. Tout ça pour dire qu'avec l'assurance-vie d'mon père, ma mère a pris l'temps de voir venir, une fois ici. Elle avait sa promesse d'emploi pour l'année suivante, alors ça lui a donné une année avec moi. On a dû être heureux, j'imagine… Quand j'pense à ça… On était quand même tout seuls en maudit, dans notre maison au fond des bois. Ça doit être pour ça que Berthe venait faire son tour de temps en temps; pour qu'ma mère se sente pas trop toute seule.

Ou l'inverse, compléta Dominic pour lui-même.

— Criss! souffla Vincent, estomaqué par tant de malheurs. Pis elle a pas faite une dépression!?

— Elle était belle, délicate et gracieuse, dit Dominic en contemplant sa bière chaude. Mais elle était forte.

Il se tut, songeur. Quelque chose essayait d'émerger… quelque chose d'enfoui…

— Y'a de quoi qui t'revient? questionna Vincent en s'avançant un peu dans son fauteuil.

Soudain méfiant, Dominic le considéra comme s'il le voyait pour la première fois.

— Toi, dit-il, tu m'as pas faite venir ici pour placoter.

Il ne s'agissait pas d'une question.

— Fâche-toi pas, mon Dom… commença Vincent en levant la main comme pour calmer un cheval prêt à s'emballer.

— Lâche-moi les « mon Dom », coupa le principal intéressé. Qu'est-ce' t'avais en tête, au juste?

— OK, *fair enough*, concéda Vincent. Mais pour ton information, je l'sais qu'tu m'as suivi dans l'espoir que j'te donne l'ensemble des détails de l'enquête. J'suis ben placé pour savoir qu'un enquêteur qui se dit en vacances, c'est d'la *bullshit*.

Dominic ne répliqua pas. C'était de bonne guerre.

— Je suis pas cave, Dominic. Si t'es r'venu à Malacourt à ce moment-ci, c'est parce que tu sais qu'il y a un lien entre les trois disparitions pis l'meurtre de ta mère.

Encore une fois, Vincent avait perdu son air débonnaire.

Dominic comprit alors quelque chose de fondamental qui lui avait jusque-là échappé : son hôte était en représentation la moitié du temps. Avec lui, cela avait fonctionné : Dominic avait effectivement baissé sa garde chaque fois que Vincent avait eu recours à son numéro du brave flic de campagne.

— T'es un *wise*, toi, consentit le lieutenant-détective Chartier de mauvaise grâce.

— Si ça peut t'aider à déchoquer, ç'a pas toujours été l'cas, confia le sergent-détective Parent sans développer davantage.

— Donc, reprit Dominic, mon passé t'intéresse ?

Son invité de nouveau détendu, Vincent finit sa bière et en prit une troisième sans passer de commentaire sur le fait que Dominic ne buvait pas en dépit de ce qu'il avait laissé entendre.

— Évidemment qu'ton passé m'intéresse, rétorqua Vincent en retenant de justesse un éclat de voix qui aurait trahi à quel point il était à cran. C'est possible que, v'là trente ans, les deux p'tites qui ont disparu pis ta maison qui a été incendiée, c'était une coïncidence. Mais tu l'sais comme moi, ce genre de coïncidence-là, ben, ça en est rarement. Mets-toi à ma place, Dominic. J'ai une enfant qui disparaît trente ans presque jour pour jour après la première histoire. Non seulement la p'tite a laissé aucune trace à part son ostie d'bicycle, mais y'a personne qui l'a vue passé le chemin vers le Rang 2 où elle venait de s'engager. La piste s'arrête au pont d'la rivière aux Fées. Bref, j'ai rien, Dominic. Rien pantoute, criss ! Non, c'est pas vrai, se reprit Vincent en s'emportant pour de bon, non pas contre Dominic mais contre la situation et contre lui-même. J'ai un malade qui tripe sur les p'tites filles en bicycle, mais j'ai aucun moyen de l'identifier. J'ai des parents au désespoir à qui j'parle trois fois par jour pis qu'y réalisent ben que j'ai strictement rien d'neuf à leur apprendre. J'ai un directeur d'école pédophile condamné v'là trente ans qui a toujours clamé son innocence. Ça, c'est c'que j'ai, Dominic, résuma Vincent en reprenant son souffle.

— Pis là j'arrive, compléta le lieutenant-détective Chartier. Pis tu t'dis que si j'suis revenu à ce moment-ci, c'est pas pour rien, ce que je t'ai d'ailleurs confirmé. Pis tu t'dis que si moi aussi, j'pense que le meurtre de ma mère pis les disparitions, c'est lié, ben, t'as tout intérêt à m'faire parler le plus possible.

Dominic regarda alors sa bière puis, la montrant à Vincent, il conclut :

— Pis un gars chaud, ça jase plus.

— Faut pas m'en vouloir, Dominic, dit Vincent. Mais… tant qu'à s'dire les vraies affaires, m'as t'dire la vérité : je suis désespéré, moi, là.

— J'comprends, assura Dominic qui, à présent qu'il s'était calmé, ne pouvait s'empêcher d'avoir une certaine admiration pour son confrère et la manière dont il l'avait bluffé.

Lui se targuait d'être perspicace, mais Vincent était roublard. À la chasse, il ne devait pas donner sa place. Dominic l'aurait volontiers aidé à attraper son gibier. Malheureusement, il ne disposait d'aucune information assez solide pour réorienter son enquête. Adélaïde (il pensait toujours au prénom « Hosanna » en premier, lequel s'entêtait à rester incrusté dans son esprit) l'avait gardé, l'avait maltraité, mais ça ne faisait pas d'elle une meurtrière. Pas encore, en tout cas. *Idem* pour Berthe, qui était désormais sans le savoir mise en examen.

Même si elle n'avait rien *fait*, Berthe était-elle coupable par association ? Avait-elle protégé sa sœur possiblement cinglée ? Avait-elle couvert son mari, dont il était établi qu'il était violent et alcoolique ? Et camionneur…

Dominic entendait étoffer un peu plus la « filière Berthe » avant de s'en ouvrir à Vincent. Il ne pouvait pas risquer de la compromettre sans raison. Advenant qu'il se trompe ou qu'elle n'ait rien à se reprocher, le simple fait de savoir que de tels soupçons pesaient ou avaient pesé sur elle aurait été suffisant pour tuer l'octogénaire. Dominic marchait sur des œufs.

— On en est tous les deux au même point, mentit Dominic. J'suis dans un cul-de-sac depuis trente ans, pis j'espérais qu'ton enquête me mettrait sur une piste. De ton bord, t'es dans un cul-de-sac aussi, pis t'espérais que j'pourrais t'en faire sortir avec quèqu' élément nouveau. Désolé, mon Vince, termina Dominic en essayant de sourire.

— Abandonne pas trop vite, le relança Vincent sans se démonter. Tu *penses* que tu sais rien qui pourrait m'aider. Mais c'est pas nécessairement l'cas.

— Qu'est-ce tu veux dire, « je *pense* que » ?… Je *sais* que, appuya Dominic. Je l'sais ben qu'trop, criss.

Les flammes, la fumée… le trou noir. Vortex…

Si au moins il avait vu quelque chose, la nuit de l'incendie. Avait-il vu quelque chose ? ou quelqu'un ?

— J'me rappelle à peu près rien, avoua Dominic comme s'il confessait un crime.

Qu'il ait affublé Adélaïde d'un autre prénom n'était qu'un exemple de la piètre fiabilité de sa mémoire dont les circonvolutions capricieuses ne semblaient pas encore prêtes à lui révéler tous leurs secrets.

L'œil fixe, il ne desserra la mâchoire que lorsqu'il porta le goulot de la bouteille à ses lèvres. La tiédeur de la bière ne le dérangea pas : il la but en trois rasades.

Bon maître du logis, Vincent lui en tendit une froide sitôt la précédente posée sur le sol de ciment.

— La mémoire, Dominic... Ça nous joue des tours, tu l'sais. Si t'es venu, c'est parce que tu penses pus que Gérard Surprenant est en cause dans l'incendie. C'est ça ?

— Si j'suis ben honnête avec moi-même, dit Dominic après avoir avalé une longue gorgée, en dedans, j'pense que j'ai jamais été convaincu que c'était lui. C'est probablement pour ça que j'suis jamais allé l'confronter en prison. J'aurais pu. Ça aurait été facile. Mais ça aurait risqué d'péter ma baloune de certitude. J'devais pas vouloir risquer de m'retrouver devant un innocent pis d'être pogné après pour vivre avec le fait que l'meurtrier d'ma mère était toujours libre. Pis comme tout ça, ça s'tenait bien, Surprenant qui enlève Agathe pis Jacinthe pis qui met l'feu possiblement pour faire taire ma mère, j'pouvais avoir le déni confortable. Mais là, avec l'histoire d'la p'tite Saint-Arnaud...

Le ton de Dominic n'avait cessé de baisser. Son confrère l'écoutait attentivement. Entre eux circulait désormais une onde de respect mutuel. Ni l'un ni l'autre n'essayait plus de piéger son vis-à-vis.

— Dominic, t'as jamais pensé que... que c'était peut-être toi que l'incendie visait ?

Interloqué, Dominic ne trouva rien à répondre.

— Les deux p'tites, Agathe Boissonneau pis Jacinthe Lussier, elles étaient de ton âge, hein ? Vous étiez tous dans même classe. Dans la classe à Berthe ?

Il a consulté le dossier de l'enquête de 1982, réalisa Dominic en se trouvant un peu bête. Peut-être était-il vraiment en vacances, tout compte fait ? Son cerveau l'était, en tout cas.

La classe de Berthe, répéta alors Dominic mentalement. Il revenait toujours à elle.

— Oui, confirma-t-il en essayant de revenir dans la partie (il n'aimait pas être à la remorque des événements même s'il éprouvait la désagréable impression de l'avoir été toute sa vie). On était dans la même classe. Y'avait juste une classe par niveau.

— À Saint-Clo, on avait deux écoles primaires, dit Vincent. Pis une secondaire, mais t'as probablement déjà entendu parler d'celle-là.

— Oui, je m'en souviens, dit Dominic. Ils avaient appelé ça « l'automne sauvage de Saint-Clovis ». T'étais sur l'enquête ?

— Non, j'ai interrogé un suspect. Mauvais souvenir[5], conclut Vincent en revenant à leurs moutons. C'que j'voulais dire tantôt par « tu penses que tu sais rien » qui pourrait m'aider, c'est que peut-être que tous les deux, chacun d'notre bord, on a pris l'enquête par le mauvais bout.

— Vincent, si par un hasard de fou j'avais vu l'malade qui a enlevé Agathe pis Jacinthe sans que lui m'voie, je l'aurais dit à ma mère…

— Ou il t'a vu, pis il a voulu réduire toute la famille au silence, supputa Vincent.

—————————————————

[5]   Voir *Les Visages de la vengeance* et *Une mort comme rivière* (Alire, 2011, 2012), second et troisième tomes de la trilogie *Les Carnets de Francis*.

Dominic ne l'entendait plus. Se pouvait-il qu'il ait confié quelque chose à sa mère ? Quelque chose qui avait fait craindre à quelqu'un d'être découvert ? Quelqu'un avait donc possiblement voulu la faire taire, mais ce quelqu'un n'était vraisemblablement pas Surprenant.

Dominic avait-il mis sa mère en péril, sans le vouloir, sans le savoir ? Avait-il vu quelque chose ? quelqu'un… ?

Avait-il vu Euclide, Euclide que la présence d'enfants aurait peut-être « éloigné de la bouteille » ? ou Adélaïde, Adélaïde qui « aimait tellement les enfants » ?

L'instinct protecteur de Berthe l'avait-il poussée à devenir complice après le crime ?

Le crime de qui ? Le crime de qui… ?

Dominic fit un énorme effort de concentration. Il essayait de revoir son école, sa classe, Agathe et Jacinthe assises côte à côte, les fenêtres qui donnaient sur la cour de récréation clôturée, la Deuxième Avenue qui croisait là la rue des Cyprès…

Enfant, il était déjà curieux, observateur. De cela, il se souvenait. Aurait-il pu apercevoir quelqu'un qui surveillait la sortie des classes ? Aurait-il pu en parler à sa mère puis tout oublier jusqu'à aujourd'hui ? Se souvenait-il de quelque chose en ce moment même ou confondait-il souvenirs et hypothèses ?

Au-dehors, les coups de tonnerre se rapprochaient.

— *Fuck*, murmura-t-il, impuissant devant les facéties de son cerveau.

— As-tu déjà comme… consulté ? hasarda Vincent, conscient d'aborder là une question délicate. Y'a des méthodes pour… ben… pour stimuler la mémoire, pour se souvenir.

— Genre l'hypnose ? répondit Dominic en émettant un rire sans joie. J'ai toute essayé ça, figure-toi donc.

Je... C'est pas juste que j'me souviens pas de cette journée-là, Vincent. J'me souviens à peu près pas d'mon enfance. J'ai été inconscient deux jours après l'incendie. Quand j'me suis réveillé, ils ont diagnostiqué une amnésie partielle. Pis c'est... c'est jamais revenu.

— Qu'est-ce que... Ben tu m'dis que t'as consulté. Qu'est-ce qu'y t'a dit, ton psy?

— De revenir ici. De revoir les lieux d'mon enfance. Que ça restait le meilleur moyen de stimuler ma mémoire.

— Pis... ç'a pas fonctionné ça non plus? interrogea Vincent.

— À date, ça fonctionne pas fort, répondit Dominic en terminant sa seconde bière.

— C'est la première fois qu'tu reviens ici depuis trente ans?

Incrédule, Vincent lui tendit une troisième bière.

— Quand est-ce qu'y t'a conseillé de revenir, ton psy?

— Y'a dix ans.

— Pis tu l'as pas écouté?

— J'ai changé de psy, avoua Dominic.

À ce moment précis, son expression était celle d'un gamin qui vient d'admettre un mauvais coup.

— J'pouvais pas revenir, poursuivit-il en se raclant la gorge. C'est pas que j'voulais pas : je pouvais pas. Juste... l'idée d'revenir, ça provoquait des crises d'angoisse assez *heavy*... J'ai... jamais fleuri la tombe de ma mère. Peux-tu imaginer fils plus ingrat?

Dominic ne pouvait pas croire qu'il était en train de raconter tout ça à un pur inconnu, confrère ou pas.

Parfait étranger mon œil! pensa-t-il en se remémorant son appréciation erronée et son jugement présomptueux des actions de Vincent.

Et Dominic ne pouvait même pas blâmer l'alcool puisqu'il lui fallait beaucoup plus que deux bières et demie pour perdre le contrôle de son discours.

En dépit du malaise qu'éveillait en lui cette mise à nu, il choisit de ne pas lutter. Peut-être que de ce déballage qu'il avait toujours refusé à ses psychologues ressortirait quelque élément inédit. Au point où il en était, cela ne lui coûtait rien d'essayer.

— Je… j'en ai pas eu cette fois-ci. De crise d'angoisse, j'veux dire. Mais j'me suis parlé en sacrament, par exemple. La seule raison qui a faite que là, c'était pas pareil pis qu'il fallait vraiment que j'vienne, c'est la p'tite.

— Léanne Saint-Arnaud, dit Vincent en se reprenant une bière. On sait tous les deux que si on la trouve, ça risque d'être triste pas à peu près, mais au moins ses parents vont savoir. Ça t'honore, que tu sois revenu, t'sais.

— Y'a rien d'honorable là-dedans, protesta Dominic. J'suis revenu autant pour moi qu'pour elle. J'veux savoir c'est qui l'ostie d'sale qui a tué ma mère.

Il but avec brusquerie, en retenant des larmes de rage. Par pudeur, Vincent détourna le regard.

— D'après toi, j'aurais pu voir quèqu'chose, hein ? C'est pas impossible. Te sens-tu thérapeute, mon Vince ?

— Vince ? releva Vincent. Si tu m'appelles de même, moi, j'continue de t'appeler Dom.

— *Cheers*, approuva Dominic en levant sa bouteille.

— *Cheers*. Pis pour répondre à ta question, non, j'suis pas thérapeute, mais ma p'tite sœur m'a toujours dit que j'avais une belle qualité d'écoute.

En prononçant ces paroles, Vincent pouffa en recrachant un filet de bière. Inexplicablement hilare, il regarda Dominic puis pouffa de plus belle.

Interdit, ce dernier observait son hôte sans trop comprendre.

— S'cuse, *man*, essaya de se reprendre Vincent. C'est juste que… S'cuse, j'devrais pas rire, c'est super poche vu les circonstances. C'est juste que tu t'en venais ici en pensant que j'voulais m'confier pis toute, hein ? C'est ben ça qu't'as pensé ?

Les efforts que Vincent déployait pour ne pas rire lui contorsionnaient le visage. Le teint écarlate, il avait l'air d'un clown mal démaquillé.

— Va don' chier, répliqua Dominic sans s'offenser, pris lui aussi d'un fou rire. C'est d'l'argent en banque, ça, mon Vince. J'te r'pognerai ben à mon tour, crains pas.

— C'est ça. En attendant, j'vas aller nous faire du café pis après ça, on va procéder à un p'tit retour aux sources. Qu'est-ce t'en penses ?

— Oui, approuva Dominic. Pour le café aussi.

— T'as pas mangé, à' grange à Ludgé, fit remarquer Vincent. Y m'reste d'la pizza d'hier…

Joignant le geste à la parole, il rouvrit le frigo et en sortit une boîte de carton plate.

— Quin, dit-il simplement en la tendant à Dominic, qui n'avait apparemment pas son mot à dire.

Vrai qu'il avait faim. Aussi prit-il la boîte et, après avoir constaté, satisfait, qu'il s'agissait d'une pizza pepperoni-fromage, engouffra les trois pointes qui restaient. Regrettant presque aussitôt sa goinfrerie, il contempla, embarrassé, la boîte qu'il avait laissée vide. Quoique Vincent avait mangé quelques sandwichs, là-bas, lui…

— T'as toute mangé, mon cochon, dit Vincent en reparaissant, sa bonne humeur revenue.

— Désolé, je…

— Arrête-moi ça ! J'ai mangé tantôt, moi. Le café coule. J'propose qu'après on commence par le commencement.

— Par la maison au bout de l'allée de saules pleureurs ? renchérit Dominic en y mettant l'effet. OK. J'ai assez retardé de toute façon. Quoique, avec cet orage-là…

Il tendit l'oreille. Les gouttes lourdes et rapprochées martelaient toujours le toit du garage. Le tonnerre grondait à un rythme régulier, comme un dragon tapi dans les cieux prêt à fondre sur les imprudents assez sots pour s'aventurer sous son nez.

— On peut attendre demain, proposa Vincent en essayant de masquer sa déception.

— Non, trancha Dominic. Si j'peux m'rappeler quèqu'chose, le plus tôt sera l'mieux. Si y'a une chance sur un million qu'la p'tite soit encore vivante… Pis de toute façon, avec toute la marde que j'ai eue, y manquerait plus juste que j'me fasse frapper par la foudre !

— *Ataboy !* s'exclama un Vincent heureux. Là y'est deux heures… y nous reste une couple d'heures de clarté dans l'bois.

Peut-être de retourner là-bas, chez lui, aiderait-il à stimuler sa mémoire. Peut-être un fil d'Ariane plus net se dessinerait-il entre les disparitions, l'incendie, Adélaïde ou Euclide et… et possiblement Berthe.

— Bon, *fuck* le café, décida Dominic. On va y aller tout d'suite.

Pour lui, cela représentait quand même un certain sacrifice.

— M'as t'prêter des bottes en caoutchouc, répondit Vincent avec entrain. On va mettre toutes les chances de notre bord, rapport à' foudre. Pis j'ai un imperméable pour la pêche en haute mer, en caoutchouc, ça avec. M'as t'prêter ça itou. Tu vas voir que c'est encore mieux qu'nos *frocks* de police.

CHAPITRE 7

LES OMBRES D'ANTAN

Protégés par leurs imperméables, Dominic et Vincent allaient s'aventurer dehors lorsque le bruit d'un véhicule remontant l'entrée de gravier se fit entendre.

— Y m'auraient appelé si y'avait du neuf, dit Vincent pour lui-même en ouvrant la porte du garage, intrigué.

Garé sur le gazon à côté de la voiture de patrouille de Vincent, le véhicule de Dominic occupant la place derrière celle-ci, un 4x4 vert perçait l'averse et le sombre après-midi de ses phares éblouissants.

— Sacrament, pesta Vincent qui connaissait de toute évidence l'identité du conducteur.

Aussitôt qu'ils eurent mis le pied hors du garage, les deux hommes furent rejoints par un troisième – six pieds, bâti sur le même *frame* qu'eux – qui protégeait son crâne rasé et son air renfrogné sous une casquette à l'effigie du film *Les Boys*.

— J'imagine que c't'à cause de lui qu'tu retournes pus mes appels, accusa le visiteur importun en montrant Dominic du menton.

— Luc, répondit Vincent en essayant de ne pas s'énerver, faut-tu que j'te rappelle que j'suis sur une enquête importante ? T'écoutes les nouvelles un peu, quand même ?

— *Bullshit*! Si t'avais voulu m'parler, t'aurais pris trente secondes pour m'appeler. Fa'que c'est quoi, là? C'est fini? C'est lui qu'tu fourres, astheure? *That's it*? J'pensais…

À ses côtés, Dominic sentait Vincent se liquéfier de honte.

— Ouin, c'est ça, rétorqua Dominic en faisant un pas vers l'amant éconduit. Vincent était tanné d'attendre que tu quittes ta femme.

Face à sa propre hypocrisie, à savoir venir faire une scène de jalousie alors que l'on était soi-même un conjoint infidèle, le dénommé Luc ouvrit puis referma la bouche, incapable de répliquer. Après un dernier regard vers Vincent, il battit en retraite jusqu'à son camion, démarra puis recula avant de repartir par où il était venu.

— Désolé d'm'en être mêlé, dit Dominic en rajustant le capuchon de son imperméable, mais j'ai comme le feeling que j't'ai rendu service. J'ai vu son alliance, pis comme y doit pas pleuvoir des mariages de conjoints de même sexe dans l'coin… j'en ai déduit que. Pis c'est vrai que si t'avais voulu lui parler, t'aurais pris trente secondes. En fait, j'me suis dit que tu devais être comme moi pour les ruptures : pas d'cérémonie, pis pas d'retour d'appel.

Silence radio.

Soudain mal à l'aise à l'idée d'avoir peut-être, au contraire, compromis une belle histoire, Dominic se reprit, un peu tard :

— Écoute, on peut l'faire revenir, j'voulais pas… Comme t'avais l'air découragé de l'voir arriver, j'ai vraiment pensé…

— Non, non, protesta Vincent. T'as pas commis de gaffe. C'est moi. J'savais pus comment le laisser, fa'que j'le rappelais pas. T'as ben jaugé l'affaire.

C'était déjà ça de pris, se consola Dominic, son orgueil toujours meurtri d'avoir été mené en bateau par Vincent.

Vincent qui venait de replonger dans son mutisme embarrassé.

— Bon, ben toute est correct, d'abord ?

Le ton de Dominic, qui était pressé de poursuivre avec la suite du « retour aux sources », relevait de l'affirmation davantage que de la question.

Devant le silence gêné de Vincent qui perdurait, il crut bon ajouter :

— Vincent, sais-tu c'était où ma première affectation quand j'ai commencé comme patrouilleur au SPVM ?

Le regard entendu, Vincent hasarda :

— Le village gai ?

— Bingo, répondit Dominic. Que tu manges des plotes ou qu'tu suces des graines, j'm'en câlisse, mon Vince. C'est bon ? On prend un autre appel ?

— On prend un autre appel, approuva Vincent avant de verrouiller la porte du garage.

Pendant ce temps, Dominic alla récupérer sa lampe de poche dans la boîte à gants de sa voiture.

Il avait dit vrai, à l'instant, au sujet de son indifférence vis-à-vis de l'orientation sexuelle de Vincent. N'ayant jamais éprouvé le moindre doute quant à la sienne, d'orientation, Dominic n'était pas de ces gars qui avaient l'hétérosexualité inquiète. Il n'éprouvait pas le besoin de réaffirmer constamment sa mâlitude en la surjouant macho ou en tapant sur du gai.

Pour le compte, Dominic trouvait un tantinet suspecte l'obsession que nourrissaient certains hommes hétéros par rapport à la minorité gaie. Des types trop ouvertement agressifs vis-à-vis d'une réalité qui n'avait, à terme, strictement aucune incidence dans leurs propres chambres à coucher ? Voilà qui sentait à plein nez le placard ou, à tout le moins, la curiosité bafouée.

Républicains mangeux de Bible, conservateurs fanatiques : « Si tu peux pas t'empêcher d'en parler, c'est que ça te démange », croyait fermement Dominic.

En l'occurrence, il était surtout content de disposer d'informations personnelles sur Vincent. Après son propre déballage spontané de tout à l'heure, Dominic ressentait un léger désavantage stratégique. Nous voilà à égalité, pensa-t-il en refermant la boîte à gants avant d'aller retrouver son nouveau « partenaire ».

Au moment de monter à bord de la voiture de patrouille de Vincent, ils échangèrent un regard entendu signifiant « faites ce qu'on dit, pas ce qu'on fait », le sergent-détective Parent s'apprêtant à conduire malgré les trois bières qu'il venait d'ingurgiter.

Le malaise s'était dissipé, mais Dominic sentait que Vincent était encore embarrassé. Aussi décida-t-il de le taquiner un peu, histoire d'alléger l'atmosphère tout en prenant le taureau par les cornes.

— En tout cas, une bonne pièce d'homme, ton Luc, commenta Dominic alors que Vincent tournait la clé dans le contact. Un peu *drama queen* sur les bords, par exemple.

Vincent voyait bien, du coin de l'œil, que Dominic lui tirait la pipe – sans mauvais jeu de mots.

— Va don' chier, lâcha-t-il en écho au vocable proféré un peu plus tôt par Dominic.

— Faut pas être négatif comme ça, mon Vince, insista Dominic en refrénant son envie de rire. Faut qu'tu sois fier. Tu suces des graines pis j'suis certain qu'tu fais bien ça. C'est important d'être fier de c'qu'on fait. Hein, mon Vince ?

Le regard faussement las, Vincent tourna la tête vers son passager et remarqua :

— OK, Dominic. Tu t'en sacres que j'sois gai. T'es pas un morron. Message reçu.

— *Good*. On va pouvoir aller voir si mon troisième psy avait raison d'croire qu'il fallait que j'revienne ici.

— Ton troisième? ne put s'empêcher de relever Vincent en passant la marche arrière.

Puis, la mine espiègle, il marmonna :

— Méchant *fucké*.

— Fif, répliqua Dominic en feignant d'éternuer.

Vincent s'arrêta sur le bas-côté, non loin de l'accès à l'allée de saules pleureurs.

— Le chemin vers la maison est défoncé, c'est plus *safe* à pied, expliqua-t-il.

— Ben d'accord, dit Dominic en sortant sous la pluie que des bourrasques mesquines venaient leur plaquer sur le visage.

Sitôt dehors, ils coururent se mettre à couvert sous les arbres. Au-dessus de leurs têtes, les branches dégarnies des saules tombaient vers eux en se croisant les unes les autres et en formant une toile d'araignée végétale tissée serré.

Sans mot dire, les deux policiers entreprirent de remonter l'étroit chemin boueux troué çà et là de touffes d'herbes.

— Ça ressemble plus à un sentier pédestre qu'à un chemin, nota Dominic.

Il aurait voulu reconnaître davantage le décor, mais rien ne ressemblait plus à ses souvenirs ou, plutôt, à ses rêves.

Ce sentiment d'être étranger à ce lieu s'accrut lorsqu'ils débouchèrent dans la clairière au centre de laquelle se dressait jadis la demeure néo-gothique-patentée.

— J'm'attendais à un tas de bois, souffla Dominic en contemplant la façade aux deux tiers intacte qui tenait encore, fort probablement, grâce à l'imposante cheminée de pierre qui, par un étonnant caprice de la gravité, ne s'était pas encore effondrée.

Derrière la façade, dont la partie supérieure gauche avait été rongée par les flammes, on devinait qu'il ne subsistait plus grand-chose de la maison. Tout cela avait des allures de décor de théâtre, avec cloisons minces, trompe-l'œil et perspectives tronquées, songea Dominic en s'approchant, comme irrésistiblement attiré par la propriété.

— Le salon était là, dit-il en indiquant la partie gauche du rez-de-chaussée. En entrant, il y avait un escalier qui divisait la maison… La chambre de ma mère était à l'étage, de ce côté-là aussi, mais au fond, ajouta Dominic en désignant le trou dans la façade du côté gauche.

Alors qu'il se tenait face aux vestiges des marches qui menaient au porche surmonté d'une grande lucarne circulaire, un curieux phénomène se produisit.

Décomposées une minute plus tôt, les marches se régénérèrent sous ses yeux, à l'instar du reste de la maison. La suie noire s'évapora, le bois se reconstitua, les rideaux de dentelle crûrent à même le vide et revinrent habiller les nombreuses fenêtres…

Dominic était désormais seul dans son monde de souvenances calcinées.

Son cerveau avait-il enfin consenti à libérer sa mémoire ?

Quelque part dans un recoin de son esprit encore rattaché au moment présent, Dominic en voulut à son troisième psychologue d'avoir eu raison. Car n'était-ce pas ce qu'il avait finalement redouté tout du long ?

Pourquoi aurait-il dû craindre ce dont il pouvait se souvenir? Pourquoi s'était-il entêté pendant trente ans à ne pas remettre en doute la version officielle des faits malgré les failles béantes de celle-ci?

Pourquoi avait-il gardé sa mémoire sous clé toutes ces années?

Dominic n'eut pas le loisir de trouver des réponses à ses questions car, devant lui, la porte d'entrée de la demeure s'ouvrit en grand.

Au même moment, Dominic franchissait le seuil du vestibule, comme si une ellipse brusque l'y avait conduit.

Il ne marchait pas, mais il ne flottait pas non plus.

Ses souvenirs s'incarnaient devant ses yeux, pêle-mêle.

Sur la droite, le mur de planchettes lambrissées était nu. Non, ça n'allait pas... À bien y regarder, un miroir rectangulaire au cadre de bois sombre y était accroché, et dessous, un guéridon en forme de demi-lune accueillait une assiette décorative en cuivre dans laquelle sa mère déposait ses clés en rentrant.

Sa mère...

Debout devant le miroir, Diane Chartier appliquait du rouge sur ses lèvres naturellement foncées. Après avoir contemplé le résultat une seconde, elle prit un mouchoir dans son sac à main et ferma ses lèvres dessus afin d'enlever le surplus de rouge.

L'air satisfait, elle se tourna vers Dominic en souriant.

— Jamais trop, jamais trop peu, dit-elle avant de disparaître avec le reste du vestibule.

Dominic se tenait à présent au centre du salon. Dans un coin, des figurines de *La Guerre des étoiles* attendaient que l'on revînt jouer avec elles. Lui avait passé l'âge. Il avait trente-huit ans. Trente-huit ans...

Vraiment ?

Derrière lui, un son familier résonna, un bruit de talons plats. Ceux des chaussures de Hosanna. Non, d'Adélaïde.

Dominic se retourna aussitôt. L'écho se réverbérait dans toute la demeure ; il provenait de la cuisine, dans l'aile sud de la maison.

Sans réfléchir, Dominic quitta le salon afin de gagner l'escalier menant à l'étage. Il allait sortir de la pièce quand son regard fut attiré par l'une des fenêtres du vaste séjour. Avait-il surpris un mouvement, derrière la vitre ?

Les pas se rapprochaient. Sans plus attendre, Dominic se précipita vers l'escalier.

De part et d'autre de celui-ci courait, à gauche, une rampe massive, tandis qu'à droite s'élevait une cloison lambrissée.

Dominic gravit les marches deux par deux jusqu'à l'étage, celui-ci divisé comme le rez-de-chaussée. À gauche : la chambre d'amis que sa mère utilisait comme salle de couture et comme bureau, puis sa chambre, celle des maîtres. À droite : la salle de bain puis la chambre de Dominic, juste en haut de l'escalier.

Arrivé sur le palier, il tourna sur lui-même, ou plutôt le décor pivota autour de Dominic, qui fut pris de vertige. Devant lui, la grande lucarne circulaire percée en haut du vestibule laissait entrer une lumière aveuglante.

Lorsque l'univers dont il était involontairement devenu l'axe de rotation cessa de tanguer, Dominic voulut examiner sa chambre. Étonnamment, il ne se rappelait pas du tout de quoi avait l'air la pièce. De la maison, il se souvenait vaguement avant de la revoir ; le salon, la cuisine, la salle à manger... Des images, des flashs, lui revenaient périodiquement depuis l'enfance. Suffisamment pour qu'il ait pu en reconstituer une maquette mentale relativement fidèle. Mais lorsqu'il pensait à sa chambre, hormis une porte verrouillée, il ne voyait rien. Néant.

Aussi, c'est avec beaucoup de curiosité qu'il tendit la main vers la poignée. Celle-ci refusa de tourner. Dominic réessaya, en vain. Les images de son cauchemar du petit matin l'étreignirent alors, suffocantes comme la nappe de fumée qui recouvrait le plancher de bois franc. La porte qui se rouvrait… Hosanna/ Adélaïde…

— Dominic ? demanda Diane derrière lui.

Surpris, il se retourna.

Sa mère se tenait devant lui sur le palier, bien vivante. Elle portait l'une de ses jolies robes claires à motif floral. D'un bleu doux, celle-ci arborait un filigrane ton sur ton qui seyait parfaitement à ses traits délicats.

Il connaissait cette robe…

— On va aller à l'épicerie, Dominic. Va mettre un chandail, dit-elle. T'auras pas besoin de ton manteau.

Soudain, l'expression de Diane changea, passant de la sérénité à l'incertitude.

Sans mot dire, elle se détourna de son fils et se dirigea vers la porte entrebâillée de sa chambre, qu'elle poussa d'une main tremblante.

Les flammes la happèrent en l'enserrant de leurs doigts brûlants.

Dominic voulut ramener sa mère vers lui, mais la porte se referma aussi sec. Il tambourina contre le battant, puis tenta de l'enfoncer en se jetant dessus de tout son poids, sans succès. Refusant de renoncer, il asséna un violent coup de pied sur la poignée.

Le loquet céda et la porte s'entrouvrit.

Il n'y avait plus nulle trace de flamme ni même de fumée.

Sans attendre, Dominic entra dans la chambre de sa mère mais la trouva inoccupée. C'est alors qu'il remarqua que le couvre-lit avait été dérangé. On devinait une grande forme rectangulaire sous la couverture. Curieux de voir de quoi il s'agissait, Dominic s'approcha, souleva le couvre-lit et dévoila de la sorte un portrait de sa mère peint avec un talent certain.

Il en était encore à admirer l'œuvre lorsque celle-ci commença à noircir. De la fumée s'en dégagea bientôt, mais Dominic ne pouvait se résoudre à abandonner le portrait. Il ne pouvait se résoudre à abandonner sa mère.

La fumée eut tôt fait d'envahir toute la chambre.

Dominic aurait voulu crier, mais aucun son ne sortait de sa gorge douloureuse. La fumée l'entourait; elle s'insinuait en lui par tous ses pores. Autour de lui, le bois se remit à craquer sous l'assaut des flammes sifflantes.

Les nœuds éclataient dans les planches en produisant des bruits de détonation.

Dominic ne respirait plus.

— Dominic? Dominic!

Il inspira une longue goulée d'air comme s'il venait de refaire surface après avoir risqué la noyade.

Vincent était en train de le secouer.

— Dom, ça va? T'avais pus l'air là pantoute, dit le sergent-détective Parent en considérant son confrère d'un œil inquiet.

— Ça va, répondit Dominic en réalisant qu'il se trouvait toujours face au porche décati.

— T'es sûr? T'avais l'air d'un médium à' TV, quand ils partent en transe.

— Je suis pas un médium, l'assura Dominic, qui avait complètement recouvré ses esprits.

— Mais t'as vu des affaires, j'me trompe ? Tu... tu t'es souvenu d'affaires, là, hein ?

— Oui, mais rien d'utile. Mes jouets, ma mère, le feu...

Il se tut, incapable d'ajouter autre chose. Respectueux, Vincent ne le poussa pas davantage.

Sans se consulter, ils allumèrent leurs lampes de poche.

Après un dernier regard en direction de la façade ravagée mais encore debout, Dominic contourna les ruines afin de rejoindre l'arrière de la propriété.

— Ma mère cultivait des roses, dit-il à l'intention de Vincent qui le suivait en restant attentif à ses moindres réactions. Je sais pas à quoi tu t'attends, ajouta Dominic en s'en apercevant, mais ça s'peut que ça donne rien pantoute, le retour aux sources. Ça ressemble plus à une visite guidée...

— On sait jamais, se contenta de répondre Vincent. Des fois, un détail insignifiant... *Anyway*, c'est pas à toi que j'vais apprendre le métier. Des roses, tu dis ?

— Oui, juste là, dit Dominic en désignant le rectangle dallé envahi par les ronces et où ne subsistait plus guère de traces de la roseraie. Les rouges à gauche, les blanches à droite.

De la mousse recouvrait les dalles de ciment carrées. Plusieurs d'entre elles s'étaient fissurées et avaient éclaté sous l'effet du gel. Les branches dénudées d'un cornouiller sanguin s'élevaient des ronces là où se dressaient autrefois cadres de bois et carreaux de verre.

— J'm'en souvenais pas comme ça, remarqua Dominic en sentant les larmes lui monter aux yeux. Dans mon rêve, c'était pas comme ça.

Violente et intempestive, une vague de tristesse immense le submergea.

— Tantôt, je l'ai revue, dit-il d'une voix nouée par un accès de mélancolie. Pis c'était correct. Là... j'arrive même pas à revoir son visage, pis j'braille.

— Elle devait passer beaucoup de temps ici, hasarda Vincent dans un élan de sollicitude.

— Oui, confirma Dominic en essayant maladroitement de s'essuyer les yeux avec sa main mouillée par la pluie. Pis moi, j'la regardais. J'la regardais soigner ses roses. Elles étaient magnifiques, en saison. À gauche, y'avait les rouges, pis à droite, les blanches. J'radote. Mais y reste tellement rien...

Perplexe, Vincent s'approcha un peu.

— Tu restais là à la regarder, tu dis ? T'étais du genre tranquille. Moi, ti-gars, je tenais pas en place.

— Oui, c'est vrai que j'étais tranquille, concéda Dominic. C'est drôle, Berthe m'a fait la même remarque hier matin pis hier au soir. Maintenant que j'y repense, j'ai l'impression d'avoir passé toute mon enfance à observer ma mère, un peu en retrait mais toujours proche. Quand elle cuisinait, j'étais dans un coin d'la cuisine. Quand elle cousait, j'étais dans un coin d'la pièce...

Vincent demeurait silencieux. Trop silencieux, trouva Dominic, déjà habitué au bavardage incessant de son partenaire de fortune.

— Peut-être que j'souffrais déjà de troubles anxieux, précisa-t-il en ayant la désagréable impression de justifier quelque chose qui n'avait pas à l'être.

— Tu devais surtout t'faire chier, estima Vincent. Vous étiez loin en criss. Avais-tu des amis qui venaient la fin d'semaine ? Ou toi, allais-tu chez des amis ?

Dominic réfléchit un moment.

— Non. On... On bougeait pas mal, avec ma mère. Elle était impliquée dans un paquet d'activités. Elle m'emmenait avec elle, alors je voyais du monde tout l'temps.

— Oui, c'est vrai, se souvint Vincent en examinant les décombres de la roseraie avec le faisceau de sa lampe. Il paraît qu'elle donnait son temps sans compter. Te souviens-tu… de la période durant laquelle elle a fréquenté Gérard Surprenant ?

Pourtant sortie de nulle part, la question ne surprit pas Dominic. Maintenant qu'il était ici, sur les lieux du meurtre de sa mère, il devait reprendre chaque élément du dossier revisité par Vincent et que lui, Dominic, connaissait par cœur pour l'avoir compulsé maladivement sans pourtant remettre ses conclusions en cause.

— Il a témoigné être venu deux fois, mais je m'en rappelle pas, honnêtement.

Dominic fronça alors les sourcils, comme agacé par ce qu'il venait de dire.

— Non, c'est pas ça… J'me souviens de lui à l'école, j'me souviens qu'il a fréquenté ma mère, mais j'me rappelle pas l'avoir vu dans la maison.

— Pourquoi il aurait menti là-dessus ? interrogea Vincent. Si personne pouvait prouver qu'il était déjà venu dans la maison…

— Pourquoi il se serait lui-même incriminé en admettant ça ? compléta Dominic. De toute façon, on peut pas se fier à ma mémoire. Pas encore, en tout cas.

— Je suis certain qu'y a des souvenirs pis des images qui t'sont revenus depuis qu'on est là, dit Vincent, sûr de lui. Pis je suis certain qu'ta mémoire a été plus brassée dans' dernière demi-heure que dans toutes tes séances chez le psy.

— C'est pas faux, consentit Dominic tout en essayant de tempérer l'enthousiasme de Vincent.

Sans relever la litote, ce dernier entreprit de balayer les sous-bois avec sa lampe de poche. Le vent et la pluie, celle-ci lourde et froide, rendaient l'exploration de la clairière ardue, avec ou sans le concours des éclairs qui continuaient de zébrer le ciel par intermittence.

La clarté avait encore décrû, non qu'on eût pu réellement faire la différence entre le jour et le soir, avec l'orage.

Il était déjà passé quinze heures, constata Dominic en consultant sa montre.

— Ça donne rien, par là, Vincent, dit-il. J'allais jamais jouer dans l'bois. J'avais pas l'droit.

— Pis tu désobéissais jamais? s'étonna le sergent-détective Parent en pointant spontanément sa lampe vers Dominic.

— Non. 'Faut croire que j'aimais déjà la loi et l'ordre, conclut-il tout en sentant monter en lui une bouffée d'angoisse inopinée.

Inspire, expire. Inspire, expire.

— On a ratissé l'coin mercredi, poursuivit Vincent en reportant le faisceau lumineux sur les bosquets et la forêt, juste derrière. On n'a rien trouvé. J'ai consulté les cartes du cadastre, pour voir si la p'tite aurait pas pu tomber dans un vieux puits condamné. Le seul que j'ai trouvé, y'était sur ma propriété pis je l'ai moi-même comblé quand j'ai acheté.

— Non, y'a rien par là, confirma machinalement Dominic en redirigeant son regard vers ce qu'il restait de la serre. De c'côté-là, vers le nord, y'a l'ancienne maison de Surprenant. Du côté sud, ajouta-t-il en pointant le doigt dans la direction qui intéressait Vincent, y'a comme une trouée de bouleaux blancs au milieu des épinettes noires. Après, on retombe sur le chemin qui aboutit au débarcadère.

— Ouin, j'ai souvent poussé jusqu'à' rivière par ce chemin-là, dit Vincent en continuant de balayer avec le faisceau de sa lampe les arbustes dégarnis.

Il ne s'écoula pas trois secondes avant qu'il stoppe son mouvement et revienne vers Dominic.

— Si tu sais qu'y a une trouée de bouleaux par là, raisonna Vincent avec une note d'excitation dans la voix, c'est que tu y as déjà été.

— Non, parce que… commença Dominic. *Fuck*, t'as ben raison.

Il y était forcément allé, sinon comment expliquer cette image claire et nette qui s'était formée dans sa tête ?

— J'ai peut-être été chercher Obi-Wan dans ce coin-là, une fois, pensa Dominic à voix haute en fixant les ronces.

— Obi-Wan ?

— Mon chien. J'tripais *Guerre des étoiles*. C'était un berger allemand. On l'a eu chiot…

Dominic se rappelait ce détail à l'instant.

— Il… il venait d'la portée d'la chienne au père Vachon. C'est ça ! C'est pour ça que j'sais que la maison à Ludgé Tremblay a toujours été bleue !

Vincent écoutait patiemment. L'ébauche d'un sourire confiant semblait vouloir s'imprimer pour de bon sur son visage.

— Un chien, ça se sauve, dit-il. C'est vrai que t'aurais pu aller l'chercher par là-bas.

— Mais lui non plus avait pas l'droit de sortir d'la cour, objecta Dominic.

— Un chien, ça fait souvent à sa tête.

— On devait l'attacher, essaya de se souvenir Dominic. Y fallait pas sortir d'la cour, ça, j'm'en rappelle. Un beau berger allemand, répéta-t-il. C'est des bons chiens d'garde. Comme t'as dit : on était pas mal isolés, ici.

Sa curiosité piquée pour de bon, Dominic se désintéressa de la roseraie et, instinctivement, courut jusqu'à la lisière opposée où Vincent le rejoignit presque aussitôt.

Écartant les branches qui leur barraient le passage, les deux policiers pénétrèrent dans la forêt en quadrillant les environs du regard, par réflexe.

Depuis la clairière, on ne distingua bientôt plus de Dominic et de Vincent que deux points lumineux qui s'éloignaient au milieu des hautes tiges sombres des épinettes, des sapins et des cyprès.

Planté au milieu de la forêt miniature de bouleaux, Dominic comprenait pourquoi l'image lui était revenue avec tant de force. Perdu dans un océan de résineux vert foncé, presque noir, cet îlot de feuillus à écorce blanche avait un je-ne-sais-quoi d'insolite.

— Pis? s'enquit Vincent plein d'espoir.

— Pis quoi? rétorqua Dominic en essayant de ne pas laisser trop paraître son agacement. C'est pas magique.

Comme pour le faire mentir, ses yeux se tournèrent d'eux-mêmes vers un des arbres en particulier.

Adossée contre celui-ci, une fillette semblait se reposer.

C'était Agathe Boissonneau, Dominic la reconnaissait. Oui, il s'agissait bien d'Agathe.

En voyant arriver Dominic (elle pouvait le voir?), elle sourit. Puis, une branche craqua non loin d'eux.

Dominic vit une ombre se profiler sur sa droite. Devant lui, le visage d'Agathe se convulsa de terreur. Dominic déglutit.

Lentement, il se retourna.

Hosanna le contemplait, l'œil dur. Son faciès plus bovin que de coutume paraissait… bouillir. Ses traits se métamorphosèrent alors. Apparurent ceux de la photo, ceux d'Adélaïde, tellement semblables mais imperceptiblement différents. Elle devait mesurer deux têtes de moins que lui, et pourtant elle le dominait comme s'il avait rétréci. Sans détacher son regard du sien, elle brandit une pierre pointue, prête à en asséner un coup sur la tête d'Agathe.

Dominic recula aussitôt vers l'arbre afin de protéger la fillette, ses bras prêts à repousser l'attaque de la gardienne homicide qui abattit la pierre sans état d'âme.

— Dominic ! Qu'est-ce que tu vois ? interrogea la voix de Vincent, quelque part, tout près.

— Hosanna. C'est Hosanna, dit-il en clignant des yeux.

Elle s'était volatilisée et, vérification faite, Agathe avec elle.

Devant Dominic, la mine plus excitée qu'effrayée, Vincent l'observait avec attention. Doucement, le second plaça une main sur l'épaule du premier.

— C'est qui ça, Hosanna ? Hosanna qui ?

— Je sais pas son nom d'famille, réalisa alors Dominic, stupéfait de ne jamais s'être préoccupé de ce trou mémoriel pourtant facile à combler.

Dire qu'il n'avait jamais essayé de la retrouver, histoire d'aller lui flanquer la trouille ! La vérité était qu'aujourd'hui comme autrefois, c'était encore elle qui le terrifiait. Chaque cachet d'anxiolytique qu'il avalait n'était-il pas au fond destiné à atténuer l'emprise psychologique qu'elle maintenait sur lui ? Elle, Adélaïde.

S'il s'était souvenu plus tôt que sa gardienne n'était autre que la sœur de son institutrice, il aurait dès lors pu chercher à remonter le fil des événements, le fil d'Ariane, lesquels événements avaient culminé dans l'incendie criminel de sa maison et la mort de sa mère.

Hosanna? Hosanna qui? voulait savoir Vincent.

Dominic aurait-il dû répondre Lacombe? Adélaïde Lacombe? Son amnésie avait-elle altéré son souvenir de la sœur de Berthe justement parce que celle-ci se trouvait à l'origine de son traumatisme?

Son cerveau refusait-il de collaborer complètement afin de parer à un effondrement mental?

La vérité terrasserait-elle Dominic? et Berthe?

— C'était ma gardienne, expliqua-t-il en constatant qu'il avait bel et bien reculé jusqu'au bouleau dont le tronc comblait le creux entre ses omoplates.

Après avoir pris une profonde inspiration, Dominic expira bruyamment.

— Elle est probablement morte, depuis l'temps, reprit-il avec une note de dureté dans la voix. Elle devait avoir, je sais pas... cinquante ans, facile. J'espère qu'elle a souffert.

Le ton trahissait une haine profonde, ce qui n'échappa pas à Vincent.

S'en apercevant, Dominic précisa:

— Elle me battait. Enfin, pas exactement. Elle était sadique. Je t'ai dit comment j'étais tranquille pis obéissant...

Vincent acquiesça.

— ... Ben elle, continua Dominic, elle inventait des raisons d'me punir. J'avais beau être assis par terre, immobile, silencieux, elle pouvait se plaindre que j'faisais du bruit. Pis si j'protestais... Tu comprends le principe. Alors elle me faisait venir à elle – elle restait toujours assise au salon dans l'fauteuil de ma mère – pis elle me serrait l'bras. Elle enfonçait le bout de ses doigts à l'intérieur de mon bras, sous le biceps. Ça faisait mal, j'te dis pas! Le bleu paraissait pas à cette hauteur-là, juste avant l'aisselle. Même une manche courte suffisait à le cacher. Ça, c'était pour se réchauffer. Elle serrait, elle serrait, pis moi, j'avais pas l'droit de crier. J'devais sûrement pleurer, par exemple… Quand j'étais rendu sur le bord de perdre connaissance, elle… Elle me lâchait l'bras, pis là…

Dominic s'accorda une pause. Pas de tressaillement dans son biceps. Pas de vieille douleur réveillée. Faisait-il des progrès? Rien n'était moins sûr, car il avait le cœur au bord des lèvres.

— Pis là, se força-t-il à poursuivre, elle me faisait déshabiller.

— Sacrament! ne put s'empêcher de lâcher Vincent, écœuré à l'avance par ce qui se profilait. Un homme qui abuse d'un enfant, ça m'enrage, mais une femme… ça m'dépasse. C'est niaiseux, j'sais ben, mais… S'cuse. S'cuse, Dominic. Continue.

— C'est pas c'que tu penses, Vincent. Elle… elle abusait de moi, mais pas sexuellement. C'était… de l'humiliation. Elle m'obligeait à rester comme ça, tout nu, pis elle riait d'moi. Je… je sais pas c'qu'elle me disait… J'ai comme… j'pense que j'ai bloqué ça…

— C'est correct, mon Dom. C'est correct. J'espère moi aussi qu'elle est morte d'une longue maladie ben douloureuse. Tu… Tu viens-tu de t'rappeler tout ça, juste là? C'est elle qui t'a amené ici, dans les bouleaux?

— Non, j'viens pas d'me rappeler d'Ad… de Hosanna. 'Était là dans ma tête dès qu'ils m'ont sorti d'la tente à oxygène, après l'incendie, martela Dominic en se frappant la tempe avec l'index. Je pense pas qu'elle m'ait amené ici. Quand elle me gardait, on sortait pas. Jamais.

— Mais t'as dit « c'est Hosanna », tantôt, précisa Vincent en les ramenant à l'épisode que venait de vivre ou, possiblement, de revivre Dominic. On aurait dit qu'tu t'protégeais contre une attaque ou un coup…

Après une brève hésitation, car conscient de s'aventurer sur une voie non balisée, le lieutenant-détective Chartier dévoila au sergent-détective Parent le contenu détaillé du souvenir réel ou fabriqué qu'il venait de voir défiler sous ses yeux.

— En même temps, termina Dominic, c'est presque logique que mon subconscient associe une image violente avec Hosanna… Pas sûr que c'est vraiment un souvenir, c'que j'viens d'voir. Ostie d'mémoire…

À la grande surprise de Dominic, Vincent semblait nourrir moins de réserves que lui quant à la fiabilité dudit souvenir.

— T'as raison sur un point, Dominic. Peut-être que ton cerveau a collé l'image de Hosanna sur le meurtre d'la p'tite parce que dans ta tête, Hosanna, c'est un monstre. Ça s'défend, comme théorie.

— Mais?

— Mais ça explique pas que tu t'sois tout à coup souvenu du *spot* où on est, avec les bouleaux blancs. Tu l'sais aussi ben qu'moi. Si j'étais psy…

— Oh, ça promet, grommela Dominic.

— Bougonne tant qu'tu veux, mais si j'étais psy, j'dirais que… ben… qu'y a une partie d'ton cerveau qui fait de l'obstruction pour qu'tu t'souviennes pas de toute.

— Tu sonnes pas comme un psy, tu sonnes comme un commentateur sportif.

Vincent soutint le regard de Dominic, impassible.

— Bon, OK, abandonna ce dernier. T'as sûrement raison là-dessus pis sur le reste. Pis je l'sais qu'y a juste moi qui peux débloquer ma mémoire. Crains pas. Je l'sais. Pis j'essaie vraiment d'me rappeler, Vince. J'me ferme pas, t'sais. C'est juste qu'on peut pas rouvrir une vieille affaire classée sur la foi des souvenirs flous d'un amnésique partiel. Qu'est-ce t'en penses ?

On ne pouvait pas risquer d'infliger un infarctus à une respectable octogénaire sur la foi des souvenirs flous d'un amnésique partiel, reformula-t-il pour lui-même.

— J'pense qu'on devrait se renseigner sur ta Hosanna.

— Argh ! Appelle-la pas « ma Hosanna », *come on* ! protesta Dominic en grimaçant.

— Désolé, s'excusa Vincent.

Le sergent-détective Parent s'apprêtait à rebrousser chemin lorsqu'il se ravisa.

— En as-tu parlé à ta mère, à l'époque, de ce qu'elle te faisait, l'autre vieille criss ?

— J'y ai réfléchi, pis j'pense pas, non.

— T'as l'air ben sûr de toi.

— Vincent, tu l'sais comme moi qu'les enfants abusés ont trop peur de parler le trois quarts du temps.

Sans le contredire, Vincent revint néanmoins à la charge, cette fois par la bande.

— Pis si elle s'en était aperçue d'elle-même, ta mère ? Elle me donne l'impression d'avoir été du genre attentive ? Admettons qu'ta mère ait fini par comprendre…

Dominic secoua la tête :

— Hosanna était sadique, mais elle aurait pas pu…

Le ton manquait singulièrement de conviction.

— Tuer quelqu'un ? C'est pas ça qu'elle faisait, dans ton souvenir, juste maintenant ?

— *Fuck…* marmonna Dominic en sentant poindre le moment de vérité.

Vincent s'approcha, l'air inquisiteur.

— Qu'est-ce que tu m'dis pas ?

— OK, consentit Dominic. Là, j'vais tout t'conter, mais pars pas en peur.

— « Pars pas en peur »? répéta Vincent avec l'air de se demander ce qui poussait Dominic à croire qu'il aurait pu agir de la sorte.

Dominic ne releva pas le commentaire et, après avoir réfléchi une dernière fois à ce qu'il s'apprêtait à dévoiler, convint que la transparence absolue s'imposait désormais.

— Je l'ai toujours appelée Hosanna, mais elle s'appelait peut-être Adélaïde. Elle s'appelait probablement Adélaïde.

— Adélaïde?

— Oui. Adélaïde. Comme dans Adélaïde, la sœur de Berthe.

— Berthe a une sœur!?

— Elle est morte y'a…

Dominic calcula rapidement.

— Dix ans pile. AVC. T'étais pas encore ici, Vincent. Berthe m'a dit que sa sœur me gardait de temps en temps. Ma mère me faisait pratiquement jamais garder. 'Paraît qu'Adélaïde adorait les enfants.

— Pis comme de raison, elle en avait pas à elle, insinua Vincent.

— J'vois où tu t'en vas, dit Dominic. Pis j'y ai pensé, hier soir. Mais je sais pas. Berthe m'a montré une photo d'sa sœur, pis criss, je l'ai pas… complètement reconnue. Ça *pourrait* être Hosanna. Elle a sa charpente. Elle a pratiquement la même face, c'était pas ça, mais… Je sais pas. Y'a d'quoi qui m'achale. Si j'pouvais m'rappeler clairement. T'sais, rien qu'un souvenir vraiment, parfaitement clair. Ça fait tellement longtemps. J'étais ti-cul…

— Pis Berthe, lui en as-tu parlé?

— T'es pas ben! Me vois-tu, demander à Berthe si, d'après elle, sa sœur aurait été capable d'abuser d'moi?

Vincent battit en retraite et ne répondit pas.

— Y'a autre chose, Vince, reprit un Dominic un peu plus calme. Je pouvais pas en parler à Berthe. Je pouvais pas parce que… Eh! Sacrament!

— Accouche, Dominic, exigea soudainement Vincent. Si y'a ne serait-ce qu'une chance infinitésimale pour que toute ça m'aide à comprendre c'qui a pu arriver à Léanne Saint-Arnaud…

Dominic respectait l'impatience de son confrère. Il la comprenait.

— Je pouvais pas m'ouvrir de mes soupçons à Berthe parce que je sais pas si elle aurait pas couvert sa sœur, d'une manière ou d'une autre. Elle m'a dit qu'elle était « un peu simple » pis qu'elle la « couvait ». Pis qu'Adélaïde avait un tempérament exalté.

— 'Était exaltée ou violente? demanda Vincent.

— J'me pose encore la question. Ça aiderait si j'étais certain que c'est Adélaïde, dans mes souvenirs. Eh, criss… en même temps, ç'a pas l'choix d'être elle.

— Hosanna, t'aurais pêché ça où? C'est pas un prénom courant.

— Peut-être pendant que j'étais inconscient à l'hôpital? Une infirmière, une patiente dans le lit d'à côté… Fouille-moi. Ça fait que, y'a ça, y'a Adélaïde, pis y'a aussi Euclide, le mari de Berthe, qui est mort v'là quinze ans.

— Et Euclide pourrait nous intéresser parce que?

— Parce qu'il était camionneur, violent pis alcoolique, pis parce que Berthe aime visiblement pas en parler pis parce que, aussi, pas plus tard qu'hier matin, elle a pas protesté quand Linda a suggéré que les p'tites avaient peut-être été enlevées par un camionneur, dans l'temps.

— Tu m'*fucking* niaises, dit Vincent. Pis tu m'dis ça juste maintenant?

— C'est pas toute, poursuivit Dominic face à un Vincent contrarié. Hier soir, j'ai inspecté sommairement la maison de Berthe. Je suis pas allé au sous-sol, mais dans tout le rez-de-chaussée, y'a qu'une seule photo encadrée. Elle est posée sur une des commodes de sa chambre dans un très beau cadre doré. C'est pas une photo de son défunt mari, c'est pas une photo d'feu ses parents ni même de feu sa sœur.

— C'est une photo d'toi ? s'essaya Vincent.

— Encore une chance.

— De ta mère. 'Était amoureuse de ta mère, tu penses ?

— C'est la seule conclusion logique, acquiesça Dominic. Dans l'album d'école qu'elle m'a montré, y'avait pas cette photo-là. Pourquoi elle me l'a pas montrée ? Personne d'autre dans son entourage s'est retrouvé dans un cadre. Personne a eu droit à cet égard-là. Pis elle m'a dit qu'elle adorait sa sœur, pis j'la crois là-dessus. Mais quand elle parle de ma mère, *man*, c'est autre chose.

Était-il prématuré de conclure à un cas de monomanie ?

— T'aurais dû l'entendre, Vince. J'lui parlais de sociopathe pis elle me parlait de « peine d'amour ». Criss, j'te l'conte, là, pis j'sais pas quoi penser.

Diane Chartier avait-elle été victime d'un crime passionnel ?

— Dom, j'peux pas… imaginer Berthe crisser l'feu à une maison pour…

Vincent ne put terminer sa phrase.

— Pour tuer une femme et son fils ? compléta Dominic. Moi non plus, admit-il. J'peux pas y croire.

Or, ils savaient tous les deux que le dépit amoureux pouvait conduire au pire. Au meurtre.

— Pis ça voudrait dire que la mort de ma mère avait rien à voir avec la disparition d'Agathe pis d'Jacinthe.

Berthe avait-elle réellement pu mettre le feu à leur maison dans un moment de désespoir amoureux, de folie ?

S'était-elle déclarée à Diane et celle-ci l'avait-elle rejetée ? Berthe avait-elle déclaré sa flamme avant de faire naître un brasier ?

Le regard de Vincent s'éclaira d'une lueur triste.

— Ou bien elle protégeait son mari, dit-il. Ou sa sœur.

— Penses-tu vraiment que Hos… qu'Adélaïde aurait pu tuer Agathe pis Jacinthe en me… en me laissant regarder ?

— Ou en t'obligeant à regarder, reformula Vincent en lui jetant un coup d'œil furtif.

— Ostie d'troll de câlice, marmonna Dominic plus pour lui-même qu'autre chose.

Dominic était sur le cul. Toutes ces années gâchées à croire sans trop de conviction que Gérard Surprenant était le coupable. Toutes ces années qu'il aurait pu mettre à profit en utilisant sa jugeote !

Évidemment que si sa mère avait découvert le pot aux roses, elle aurait dénoncé Adélaïde aux autorités. Et si d'honnêtes citoyens étaient prêts à tout pour ne pas aller en prison, jusqu'où une abuseuse d'enfants aurait-elle pu aller ?

Et pour éviter la prison ou l'internement à sa sœur qu'elle « couvait », jusqu'où Berthe aurait-elle pu aller ?

— Dominic ? On retourne ? J'pense que Berthe nous doit une couple d'éclaircissements.

— Madame Berthe est pas du genre à dévoiler toutes ses cartes, j'pense, prévint Dominic.

— Ça fait drôle de l'entendre appeler « madame Berthe ». Tout l'monde l'appelle Berthe. C'est elle qui insiste là-dessus.

— J'sais, dit Dominic en se mettant en route lui aussi. Mais moi, je l'ai toujours connue comme madame Berthe, à l'école. Ça veut comme pas m'rentrer dans' tête. Pis là, 'pus sûr que j'ai envie de l'appeler par son p'tit nom.

De retour dans la clairière, ils rangèrent leurs lampes, chacun dans la poche de son imperméable, puis ils se dirigèrent vers le flanc nord de la maison, ou enfin de ce qu'il en restait, pas grand-chose, afin de regagner l'allée de saules moribonds qui les ramènerait au Rang 2.

Dominic allait dépasser le coin de la maison lorsqu'un mouvement sur sa droite attira son attention. Dès qu'il tourna la tête dans cette direction, il vit Fernand Duguay tapi sous la fenêtre est du grand salon qui donnait sur la cour arrière.

Lentement, Fernand se redressa afin de mieux voir à l'intérieur. Sauf qu'il n'y avait plus de fenêtre à cet endroit, que des décombres moussus et du vent. Et Fernand Duguay n'avait plus seize ans mais quarante-six.

Le voyeur commença à se tripoter l'entrejambe puis s'arrêta net, l'air épouvanté. Comme s'il était conscient d'être lui-même épié, Fernand se tourna vers Dominic, une main toujours fourrée dans sa braguette. La vision était dérangeante, vulgaire.

— Vincent ! appela Dominic sans quitter l'apparition des yeux.

Vincent s'approcha en alignant son regard sur celui de Dominic mais, contrairement à ce dernier, il ne parut rien voir.

Dominic, qui contemplait à présent du vide lui aussi, annonça :

— Y'a quelqu'un qu'on devrait voir avant madame Berthe.

— Qui ça ?

— Quelqu'un qui avait l'habitude de venir espionner ma mère. Quelqu'un qui a dû passer pas mal de temps dans les bois alentour.

— Quelqu'un qui aurait pu voir Adélaïde avec Agathe pis Jacinthe ? comprit Vincent. Qui ça ? Qui ?

Les yeux du sergent-détective Parent étaient sur le point de sortir de leurs orbites.

— C'est l'temps d'aller faire l'épicerie, se contenta de répondre Dominic.

CHAPITRE 8

UN HOMME SEUL

Dès qu'ils eurent pris place dans l'auto-patrouille, Vincent tourna le bouton du chauffage au maximum. Ils étaient trempés de pied en cap.

— Duguay, un voyeur? s'étonna le sergent-détective Parent.

— C'est Linda qui me l'a appris hier matin, quand j'suis arrivé, confirma Dominic en consultant l'horloge encastrée dans le tableau de bord.

Il était quinze heures cinquante-sept.

— Berthe avait l'air au courant aussi, poursuivit-il. Elle a dû l'voir passer, dans l'temps. Son bungalow est sur le chemin.

— Y m'a tellement toujours eu l'air plate pis à son affaire, répondit Vincent, comme incapable de se départir de sa surprise initiale. Remarque, c'est souvent eux autres les pires… Mais en même temps…

— En même temps, un adolescent qui s'excite en dessous des fenêtres d'une belle enseignante, c'est banal, je l'sais, reconnut Dominic.

— Tu parles d'expérience? le taquina Vincent en démarrant. C'était au secondaire ou au cégep?

— Pis toi, ton prof d'éducation physique, y t'excitait-tu? répartit Dominic du tac au tac.

— Non. Y'était gros pis laite, répliqua Vincent un peu trop vite.

— Ta-bar-nak! s'exclama Dominic prêt à enfoncer le clou. T'étais bandé sur ton prof d'éduc'! Y'était-tu d'ton bord?

— Non, y'était du tien, soupira Vincent. J'ai faite d'la course pendant deux ans juste pour qu'y m'entraîne. Quin, t'es content?

— Ça t'a-tu faite du bien d'en parler, mon Vince? s'esclaffa Dominic de plus belle.

— Pour un *straight*, t'es *bitch* en criss, déclara le conducteur en prenant à droite à la sortie du Rang 2.

Vincent n'avait pas l'air bien bien fâché.

Lorsqu'ils se garèrent devant l'épicerie Chez Duguay Fils, les deux hommes avaient retrouvé leur sérieux.

— Comment tu veux la jouer? demanda Dominic à Vincent afin de lui laisser savoir qu'il était conscient qu'ils étaient de retour à son enquête et, du coup, sous sa juridiction.

— Fernand, y'a l'air de rien comme ça, mais y'est pas con. Y'est comme un renard. Y va nous flairer si on essaye d'arriver par les côtés. Faut y aller de front en y faisant comprendre qu'on l'prend pas pour un cave. Si j'veux jaser avec, c'est forcément lié à l'enquête, rapport que j'viens jamais jaser avec. Un renard, t'essayes pas de l'enfirouaper…

— OK, *National Geographic*, l'arrêta Dominic, 10-4 sur les métaphores animalières. Donc, t'es pour qu'on mette cartes sur table avec lui?

— Oui, *poker face*. Mais pas besoin d'y dire que tu viens de te rappeler Agathe Boissonneau dans les bouleaux. On va juste y dire qu'on pense que ta gardienne du temps a peut-être quèqu'chose à voir avec les deux premières disparitions et que, comme on

sait – et que plusieurs témoins dont Linda savent –
qu'il était toujours à guetter autour de votre maison,
il a peut-être vu quèqu'chose, à l'époque, même s'il
l'a peut-être pas réalisé sur le coup. C'est ben ça que
t'avais en tête tantôt ? Dominic ?

— Oui, oui, s'cuse. C'est juste… Ça nous avance
pas pour la p'tite Saint-Arnaud, soupira Dominic.

— On sait pas encore, mon Dom. Là, on suit une
piste. C'est ma première en quatre jours. *Don't rain on
my parade*, ciboire ! Il pleut assez d'même, viarge.

— T'as raison. Faut toute explorer. Ça s'peut aussi
qu'ça soit un imitateur, un *copycat*, mais là, ça com-
mencerait à être crissement tiré par les cheveux. Pis
pourquoi juste une p'tite fille pis pas deux… Tantôt,
madame Berthe pourra nous en dire plus sur sa sœur.
Ou son mari. Ou les deux. Pis elle pourra nous dire
aussi si elle aurait pas décidé d'lui rendre hommage
en reprenant l'flambeau, ou… en tout cas. Pour ce
qu'on en sait… c'était peut-être elle. Elle aussi, elle
adorait… adore les enfants. Pis elle non plus, elle
pouvait pas en avoir. Elle me l'a confirmé. Elle m'a
parlé d'monde qui ont l'âme noire pis toute. Y'a trop
de similitudes dans le *modus operendi* des trois disparitions… Madame Berthe. La bonne et douce madame
Berthe. Des fois, les apparences sont trompeuses.

— Tu lis dans mes pensées, dit Vincent en coupant
le contact.

— Pas trop, j'espère, ne put s'empêcher de l'agacer
Dominic.

Puis, devant l'air excédé de Vincent, il s'excusa :

— Tu m'as ouvert la porte grand d'même !

— La porte d'en arrière, j'te gage ?

— *You wish*, rigola Dominic en ouvrant sa portière.

— Attends, le retint Vincent en sortant un paquet de
gommes de derrière son pare-soleil. Quin, prends-en

une couple, dit-il en le lui tendant après avoir lui-même pris deux tablettes mentholées.

Une fois leur haleine professionnelle retrouvée, ils descendirent du véhicule et coururent se mettre à l'abri sous l'auvent de l'épicerie.

Un violent éclair lacéra le paysage en créant une fausse impression de jour dans la rue Principale. Saisissant, le phénomène ne dura qu'une seconde.

Les deux flics allaient entrer dans l'épicerie lorsque Vincent murmura à Dominic en appuyant son index contre l'imperméable de pêche qu'il lui avait prêté:

— Toi bon *cop*, moi *bad cop*.

— Pourquoi? voulut savoir Dominic en posant la main sur le long poussoir horizontal de la porte du commerce.

— Parce que j'ai toujours l'air bête avec lui pis y va se méfier si j'me mets à lui faire d'la façon.

— Noté, dit Dominic en entrant le premier.

L'intérieur de l'établissement, comme la devanture d'ailleurs, avait été rénové une vingtaine d'années auparavant. Pourtant, une odeur familière monta au nez de Dominic. À croire que rien n'avait véritablement changé… Les effluves de légumes plus ou moins frais, la poussière sur le haut des rayons…

L'établissement était divisé en trois allées par deux longues étagères au bout desquelles se trouvait, à gauche, un bureau administratif et, à droite, la chambre froide et le comptoir de la boucherie. La seule cliente présente y était accoudée et discutait avec le boucher.

En entrant, on trouvait, juste à gauche, quelques paniers à roulettes et, à droite, deux comptoirs-caisse.

— Salut, Shana, dit Vincent en rejetant le capuchon de son imperméable en arrière, aussitôt imité par Dominic.

Shana était la seule caissière au poste.

— Salut, Vincent, dit-elle sans se désintéresser de sa lime à ongles.

Vingt-cinq, vingt-six ans, auto-bronzée mais mignonne, la peau satinée, sans doute parfumée ; quelque chose de sucré. Des mèches blond cendré émaillaient ses cheveux auburn mi-longs, raides et lisses. Elle devait se tailler la chatte à la brésilienne, se dit Dominic en reluquant l'échancrure du corsage de coton fuchsia de la jeune femme. Ou alors elle s'était fait enlever tout ça à l'électrolyse ?

« Bon-ne fê-te Do-mi-nic, bon-ne fê-te Do-mi-nic… », entonna-t-il dans sa tête.

Il en était à se demander quel goût elle aurait lorsque son érection devint inconfortable. En se retournant légèrement vers la porte, il essaya de se replacer le paquet le plus discrètement possible.

— Ton boss est-tu dans l'coin ? poursuivait Vincent, aveugle au regard gourmand de son confrère. J'aurais voulu y demander une coup' de pains à sandwich pis quèques bouteilles d'eau en prévision d'la reprise d'la battue, demain. Linda nous fournit le café pis le lunch, pis elle demandera rien, tu sais ben.

— Pas de danger, approuva Shana sans lâcher sa lime. Orgueilleuse comme son père, mais généreuse sans bon sens, la Linda. Ben non, Fernand est pas là après-midi, pauvre toi. Y filait pas à midi, pis y'est pas redescendu.

Dominic en déduisit que Duguay habitait en haut de son commerce.

— Merci, Shana. J'vas monter.

— C'est qui ton ami ? s'informa-t-elle en levant les yeux de sa manucure pour la première fois et en les plantant aussitôt dans ceux de Dominic.

— Dominic, répondit Vincent sans rien perdre du manège de la caissière et de son partenaire. Un confrère.

— Enchanté, l'confrère, dit Shana en retournant à ses ongles, non sans avoir laissé errer son regard plus longtemps que nécessaire sur la personne de Dominic, dont la physionomie avantageuse se prêtait d'emblée à ce genre d'égarement oculaire.

— Pareillement. Ça ferme à quelle heure, ici ?

— Cinq heures, répondit Shana. Pis j'haïs ben ça rentrer à pied.

— J'ai un char.

— À tantôt, conclut la caissière en se préparant à poinçonner les courses de la cliente qui s'était amenée à la caisse entre-temps.

De retour dehors, Vincent pouffa, encore ébahi par ce dont il venait d'être témoin.

— Tu y as tapé dans l'œil solide.

— C'est les phéromones, expliqua Dominic en se donnant un air au-dessus de ses affaires. Elle veut du sexe, je veux du sexe. Elle l'a senti.

— Les phéromones, hein ? Enweye, viens-t'en, Casanova.

Dominic suivit Vincent, qui longea le flanc nord du bâtiment jusqu'à l'arrière de celui-ci. Ils débouchèrent dans un stationnement privé de deux places dont l'une était occupée par une Accord gris argent. Derrière encore, un énorme conteneur à déchets marquait la frontière entre le stationnement et la ruelle.

Un escalier de métal de type industriel menait à l'étroit balcon de l'appartement de Fernand Duguay.

Les deux policiers s'y engagèrent prestement, n'ayant pas envie de demeurer sous la pluie plus longtemps que nécessaire.

Parvenu en haut le premier, Vincent frappa trois coups secs. Pas de réponse.

Fernand les avait peut-être vus arriver par l'une des deux fenêtres qui donnaient sur la Principale, sur le devant ? Auquel cas, que cachait ce refus de leur ouvrir ?

— Fernand ? appela Vincent en frappant trois coups plus forts. Fernand, *come on* ! Ton char est là pis t'es pas du genre à prendre des marches à' pluie. Y'est pas du genre à prendre des marches, point, ajouta Vincent par-devers lui.

Après avoir consulté Dominic du regard, il testa la poignée, qui n'opposa aucune résistance.

— 'Est facile, souffla Vincent en adressant un clin d'œil à Dominic. Comme ta *date*.

— Rentre donc, dit Dominic à voix basse. C'est l'scul trou qu'tu vas pénétrer pour un boute.

— T'es chien ! fit Vincent qui enviait à son nouveau pote son sens aiguisé de la répartie.

Dominic sourit en suivant Vincent à l'intérieur, mais dans les faits, quelque chose venait de se réveiller en lui : un inconfort soudain accompagné de nausées, comme tout à l'heure, près du bouleau.

L'appartement était plongé dans la pénombre. Les rideaux étaient ouverts, mais les murs en préfini brun foncé semblaient absorber la lumière plutôt que de la réfléchir. La décoration avait eu le temps de passer de mode avant de recouvrer un cachet kitch, puis de sombrer de nouveau dans le mauvais goût : ensemble de salle à manger de style colonial, prélart… Quelques peintures naïves – créatures exotiques posant seins nus pour la plupart – trahissaient un penchant pour le multiculturalisme « mononcle ».

— Ciboire, souffla Dominic. On s'croirait dans l'sous-sol d'Elvis Gratton.

Tout était vieux mais nickel. L'air sentait en outre le détergent au citron. Le linoléum qui recouvrait le plancher avait été ciré ; les surfaces étaient étincelantes.

Soit Fernand Duguay était très propre, soit il recourait aux services d'une femme de ménage.

Cuisine à gauche, salle à manger à droite. Devant, couloir avec salon à gauche et, à droite, vraisemblablement, salle de bain puis chambre à coucher.

Ils essuyèrent leurs bottes sur le paillasson et tendirent l'oreille. Quelques mesures d'une musique diffuse leur parvinrent du salon.

— Fernand ? C'est Vincent ! Ta porte était ouverte. Shana m'a dit qu'tu filais pas. Fernand, ça va ? appelat-il de nouveau en s'avançant dans le couloir, la main déjà prête à dégainer son revolver, plus par prudence que par crainte d'un quelconque danger. Fernand ?

Dominic alla le rejoindre en regardant prudemment autour de lui.

— Tabarnack ! s'écria le sergent-détective Parent en laissant retomber le bas de son imperméable noir.

Affalé sur le divan, Fernand Duguay gisait le nez enfoncé dans ses vomissures. Un verre d'eau avait roulé sous le canapé sans se casser, une épaisse moquette beige recouvrant le plancher du salon. Posés sur une table basse, quatre flacons de pilules avaient été vidés.

L'index et le majeur appuyés sur la carotide de l'épicier, Vincent chercha le pouls de Duguay. Avec sa main libre, il extirpa son téléphone de la poche latérale de son pantalon de travail.

Pendant ce temps, Dominic en profita pour découvrir la provenance de la musique.

Disposées de part et d'autre d'un gros meuble en bois plaqué sur lequel trônait, d'un côté, une télé à écran plasma et, de l'autre, un lecteur Blu-ray/DVD, un magnétoscope (Dominic sourcilla) et une chaîne stéréo, deux haut-parleurs récents diffusaient en sourdine un étrange chant choral accompagné des grattements d'une guitare ou d'un banjo.

Sur les entrefaites, Vincent retira sa main du cou de l'épicier.

— Bon ben, l'ambulance lui servira pas à grand-chose, annonça-t-il en pianotant sur son téléphone afin de signaler le suicide.

Par réflexe, Dominic consulta sa montre : 4 h 17 de l'après-midi. Après avoir balayé la pièce du regard, il s'accroupit près de la table basse afin de lire les étiquettes des flacons sans toucher à ceux-ci.

— Il était cardiaque et dépressif, déclara-t-il en consultant les deux premières étiquettes. *Très* dépressif, ajouta-t-il après avoir lu les deux autres.

Entre deux directives à son interlocuteur, Vincent opina du chef à l'intention de Dominic afin de lui signifier qu'il avait entendu.

Cette portion du salon examinée, Dominic se redressa et alla jeter un coup d'œil au meuble de télévision. Un boîtier de disque compact reposait sur le module de la chaîne stéréo.

— *Two Mules for Sister Sara*, Ennio Morricone, lut Dominic. Hum… Un film avec Clint Eastwood que j'ai pas vu ?

Sans rien toucher, il revint sur ses pas, puis, marchant vers la chambre, il chuchota :

— Vince, combien de temps avant qu'ta gang arrive ?

— Y partent de Nottaway, répondit Vincent en raccrochant. Mets vingt minutes.

Satisfait, Dominic regarda autour de lui puis, repérant une boîte de mouchoirs dans une armoire de coin, en prit un.

Vincent ne protesta pas. Ils opéraient sous le radar.

— J'*check* la cuisine pis la salle à manger, dit-il en revenant sur ses pas.

En s'assurant que seul le mouchoir touchait à la surface chromée de la poignée de la porte de la chambre de Fernand Duguay, Dominic tourna, poussa, puis entra.

La chambre du mort affichait le même degré sur-
réaliste de propreté que les autres pièces. Le lit était
fait, le dessus de la commode était vide du moindre
objet, hormis une lampe olivâtre passée de mode
surmontée d'un abat-jour en laine que le propriétaire
avait dû hériter de ses parents, à l'instar du reste de
la déco.

Après avoir scanné l'espace d'un regard circulaire,
Dominic se pencha et regarda sous le lit. Rien, même
pas un mouton de poussière piégé par les poils du
tapis beige. Rien non plus dans la table de chevet,
exception faite d'un numéro récent de *Hustler* (un
autocollant sur la page couverture attestait le fait que
Duguay y était abonné) et d'un contenant de lingettes
humides.

Après avoir refermé le tiroir de la table de chevet en
prenant toujours soin de ne laisser aucune empreinte
digitale – il n'avait pas le droit de fouiller les lieux –,
Dominic regagna l'entrée de la pièce afin d'examiner
le contenu de la commode, à sa droite, et de la garde-
robe, à sa gauche.

La commode se révéla exempte de surprise. Cinq
de ses six tiroirs contenaient des vêtements et des sous-
vêtements, tandis que dans le sixième se trouvaient
une tirelire et des rouleaux de monnaie bien tassés
les uns contre les autres.

Il en alla autrement pour la penderie. La porte
coulissante étant entrouverte, Dominic acheva de la
rouvrir avec le bout de sa botte.

La moitié de la garde-robe accueillait chemises et
pantalons suspendus à des cintres de plastique, tandis
que l'autre moitié servait à entreposer, soigneusement
rangées dans une étagère construite aux dimensions
appropriées, des dizaines et des dizaines de vidéo-
cassettes et de DVD pornographiques. La tablette du

haut hébergeait pour sa part une quinzaine de disques Blu-ray, preuve que le maître de céans était un nostalgique qui avait brièvement courtisé la modernité.

Tout était légal. À lire les titres, Duguay était branché dominatrices : *A Corset and a Whip, The Wrath of Samantha, Teasing Mrs. Tingle, The Mistress' School Pet*... Branché dominatrices, oui, et maîtresses d'école aussi.

Dominic détourna le regard, dégoûté à l'idée que Fernand Duguay ait passé plus de trente ans à se branler en pensant à sa mère.

— Dom, viens voir ça !

Dominic sortit de la chambre et alla rejoindre Vincent, debout devant les armoires de cuisine grandes ouvertes.

— *Check* ça, dit-il en désignant leur contenu du menton.

Toutes les tablettes de toutes les armoires contenaient, soigneusement alignées, étiquettes en avant, la gamme complète des pâtes en conserve Chef Boyardee. À chaque armoire, sa variété.

— Il était obsessif compulsif, dit Dominic.

— Fernand Duguay, un TOC[6] ? s'étonna Vincent. Un voyeur, TOC.

— T'en as vu beaucoup, des appartements de vieux célibataires propres comme ça, pis rangés mur à mur ? Euh... sais-tu, pas besoin d'me répondre, mon Vince.

Dominic se trouva très drôle.

— Heille, t'es comique rare, protesta Vincent pour la forme.

— Non, mais pour vrai, insista Dominic redevenu à peu près sérieux, c'est mieux des vieux célibataires que des hommes mariés, tu penses pas ?

---

6   Trouble obsessionnel compulsif.

— Et pourquoi c'est mieux, Docteur Phil ?

— Ben, tant qu'tu sors avec un gars marié, tu restes dans le p'tit confort de ton placard. Un vieux célibataire, ça te forcerait peut-être à en sortir…

Dominic venait de marquer un point, non que c'eût été son intention.

— J'vas aller voir dans' salle de bain, rétorqua un Vincent mi-figue, mi-raisin.

— Pis tu peux m'appeler Docteur Fif, si t'aimes mieux !

Dominic rit tout seul, pas méchant pour deux sous. Resté seul dans la cuisine, il s'apprêtait à refermer les portes d'armoires avec son mouchoir lorsqu'il suspendit son geste.

Conserve après conserve après conserve…

Des pâtes… Non… De la nourriture pour chien…

— Couché, mon Obi-Wan, murmura Dominic. Couché…

Conserve après conserve après conserve…

Il faisait noir. Il faisait froid.

Dominic ne voyait rien. Il était couché par terre, réalisa-t-il en se levant avant de grimacer de douleur lorsque sa tête heurta un plafond qu'il n'arrivait pas à voir. Plié en deux, il scruta la noirceur avec ses mains, qui rencontrèrent presque aussitôt les quatre murs de ce qui semblait être un cachot humide.

Un gémissement monta, au loin, puis la plainte se rapprocha.

Dominic reconnut le son.

— Obi-Wan ?

Il sentit la langue mouillée de son chien lui lécher le visage, puis les pattes contentes lui marteler gentiment la poitrine lorsqu'il se rassit.

Dominic commençait à peine à flatter son berger allemand lorsqu'il se rendit compte que la fourrure d'Obi-Wan était enduite d'une matière graisseuse, comme la graisse végétale que sa mère utilisait dans ses recettes.

Dès que Dominic retira sa main, son chien poussa un petit jappement aigu, effrayé. Avant que Dominic ait pu comprendre ce qui s'était passé, Obi-Wan s'était évanoui dans les ténèbres.

L'air ambiant s'assécha brusquement.

— Viens ici, commanda Hosanna, ou enfin Adélaïde, derrière lui, devant lui, partout.

— Dom ? Dom, ça va !?

Dominic ouvrit les yeux, un peu sonné. Il gisait sur le plancher de la cuisine, le mouchoir chiffonné dans son poing fermé.

— T'as perdu connaissance, mon homme. T'es-tu encore cogné la tête ? As-tu mal au cœur ?

— J'suis correct, dit Dominic en se relevant sans l'aide de Vincent. J'ai des p'tites chutes de pression, des fois. Hypoglycémie, mentit-il.

À l'extérieur, en contrebas, le véhicule du médecin d'Ambulances Nottaway qui constaterait le décès vint se garer à côté de la voiture du défunt. Une voiture de la Sûreté du Québec suivit, puis le fourgon du coroner, qui emmènerait la dépouille à la morgue aux fins d'autopsie.

Comme il ne s'agissait pas d'une mort suspecte, le sergent-détective Parent n'avait pas demandé qu'on envoie un technicien en identité judiciaire. Il n'y avait pas de scène de crime à documenter.

— Tes chums sont arrivés, annonça Dominic en réalisant qu'il aurait pu s'étouffer avec sa gomme qui s'était heureusement logée entre ses molaires et sa joue.

— Bon, euh… commença Vincent en regardant dehors.

— Tu venais juste demander à Fernand Duguay une contribution en bouffe pour demain matin, le rassura Dominic en vitesse en lui confirmant qu'il avait pris acte de son maquillage de la vérité, un peu plus tôt. La porte de l'appartement était entrouverte quand on est montés. Comme la caissière t'a dit qu'il filait pas...

— Shana, rappela Vincent pince-sans-rire. La chaude et séduisante Shana sera à la caisse numéro 1, seulement pour vous messieurs !

— Aucun respect, désapprouva Dominic avec une ostentation feinte.

Revenant rapidement à leurs moutons à la vue de silhouettes sur le perron, Vincent reprit à voix basse :

— Et toi, tu m'accompagnais ?...

— En tant que confrère en vacances qui est venu aider, compléta Dominic en s'effaçant pour laisser entrer le médecin d'Ambulances Nottaway.

Une fois les présentations faites, ce dernier alla examiner le cadavre puis entreprit de remplir la paperasse qu'il remettrait au légiste tout à l'heure.

Son témoignage livré et consigné, Dominic s'éclipsa afin de laisser Vincent s'acquitter de la suite des procédures avec ses collègues. De retour sous la pluie, il se dépêcha de regagner la Principale qu'il traversa en courant jusqu'à la station-service-*diner*-dépanneur de Linda.

Les véhicules de la Sûreté étant passés par la ruelle, peut-être cette dernière n'en avait-elle pas eu connaissance.

La clochette du casse-croûte tinta, Dominic entra.

Deux clients seulement se trouvaient dans le restaurant à cette heure – seize heures quarante-cinq. Il s'agissait de deux vieux messieurs, chacun assis à sa table avec un journal ouvert devant lui.

— Ah ben ! Deux fois l'même jour ! s'exclama une Linda contente. Remarque que d'la belle visite de même, on n'en voit jamais trop ! Un café, mon Dominic ?

— S'il te plaît, Linda, répondit-il en abandonnant son imperméable mouillé sur le tabouret à sa droite avant de déboutonner son blouson de cuir.

Il se mourait de boire un café depuis que Vincent et lui étaient partis du garage après leurs bières. D'ailleurs...

En s'asseyant au comptoir, il retira une serviette de papier du distributeur en métal et y cracha sa gomme. Il posa la boulette devant lui et Linda la lui échangea contre une tasse fumante.

— Ça faisait longtemps que j'avais pas vu ça tomber d'même, dit-elle au sujet de la pluie torrentielle qui ne lâchait pas. Y' va y avoir des sous-sols inondés, c'est comme rien.

— Merci, dit Dominic en humant son café, soudain sourd au reste de l'univers.

— T'es amateur, hein ? nota Linda devant la mine extatique de son client.

— En c'qui me concerne, c'est ça, le nectar des dieux.

— Ben d'accord ! Je l'fais venir de Montréal, par autobus. Ma cousine me l'achète dans une p'tite maison de torréfaction équitable.

— Ça s'goûte, déclara Dominic le plus sérieusement du monde.

— Ah, j'y pense ! se souvint-elle en plongeant la main dans la large pochette à monnaie de son tablier. Y'a Fernand qu'y est passé me donner ça pour toi.

Elle lui tendit une enveloppe cachetée. « Dominic Chartier » y avait écrit une patte distinctement masculine.

D'un ton neutre :

— Quand est-ce qu'il t'a apporté ça, Linda ?

— En venant chercher son lunch, à midi. Ça l'a shaké de t'revoir, je l'ai ben remarqué. Y'était tout pâle. Pour moi, il l'aime encore, ta mère.

Dominic serra les mâchoires afin de ne pas parler.

— Linda ! se plaignit une voix râpeuse en provenance de la table du fond. J'prendrais un réchaud. Ça fait un bon deux minutes que ma tasse est vide !

— Ça sera jamais rien qu'son troisième réchaud, murmura la propriétaire sans perdre son sourire. J'arrive, mon Sylvio !

Linda contourna le comptoir, pot de café à la main, afin de satisfaire aux exigences de son client. Elle allait remplir la tasse du dénommé Sylvio lorsqu'elle suspendit son geste.

— Seigneur, veux-tu ben m'dire c'qui s'passe l'autre bord ?

Quelques badauds s'étaient agglutinés devant l'épicerie en une parade de parapluies colorés. Plusieurs auraient manifestement voulu pousser jusqu'à l'arrière du commerce, mais un agent de la Sûreté du Québec veillait au grain.

— Dominic, sais-tu qu'est-ce qui s'passe ? demanda Linda en revenant vers lui sans avoir rempli la tasse du vieux malcommode.

Pendant ce temps, Dominic avait pris connaissance du contenu de l'enveloppe.

— Mon café ! protesta Sylvio avec humeur.

Les yeux rivés sur Dominic, Linda recula de trois pas et remplit la tasse à l'aveuglette sans renverser une goutte de café. Attendant toujours une réponse, elle répéta :

— Ben, Dominic, tu sais-tu qu'est-ce qui s'passe de l'autre bord ?

— Oui, dit-il d'une voix blanche sans ajouter un mot de plus.

Linda allait protester lorsque Vincent franchit à son tour la porte du casse-croûte précédé par un tintement de clochette. En le voyant entrer, elle décrocha un regard sévère à Dominic puis reporta son attention sur le nouveau venu.

— Bon, en v'là un qui va pouvoir me renseigner ! Pis ?

— Pis quoi ? fit Vincent en venant prendre place à côté de Dominic.

— Ah ! Finasse pas toi avec ! s'emporta Linda.

— Tu l'sais que j'peux rien dire, Linda, rappela patiemment Vincent.

Consciente du bien-fondé de l'attitude de ces messieurs, Linda leur adressa une moue dubitative dans laquelle ne perçait plus une once de colère. Puis, son visage s'éclaira. Après avoir posé une tasse de café devant Vincent, elle ramassa son téléphone cellulaire sous le comptoir et composa rapidement.

— Berthe ? dit-elle dès que son interlocutrice décrocha.

Dominic et Vincent échangèrent un regard furtif.

— Non, poursuivit Linda, vous avez rien oublié en partant. Avez-vous su ?… Oui, la police est en face… Suicidé ? Êtes-vous certaine ?…Votre nièce ? 'Est certaine ?… Ah ben, ça parle au maudit ! OK… OK. Oui, bonne fin d'journée vous aussi. À demain.

Linda raccrocha puis rangea son téléphone. L'air absent, elle pigea une serviette de papier dans le distributeur et s'essuya les yeux avec.

L'air de dire « vous voyez bien que personne a besoin de la police », Linda observa à l'intention de ses clients :

— Tu veux savoir quèqu'chose, tu demandes à Berthe. Elle sort pas beaucoup, mais elle a son réseau d'espions. Elle était sur Facebook avant moi, ajouta-t-elle en se mouchant. Pauvre homme. J'aurais dû m'douter d'quèqu'chose. D'habitude, y'envoyait toujours son neveu chercher son lunch. À midi, y'est venu en personne. Pauvre Fernand !

Puis, se souvenant soudain de la lettre :

— Est-ce qu'y t'a écrit pourquoi y'a fait ça ?

— Il t'a écrit ? bondit Vincent en remarquant la missive froissée dans le poing de Dominic.

— Y'est cinq heures, annonça ce dernier en fourrant la lettre dans la poche droite de son manteau. J'ai un rendez-vous.

— Dom, insista gentiment Vincent en désignant la poche. Si c'est pertinent pour l'enquête, faudrait…

— C'est pertinent pour mon enquête, répondit Dominic en se levant, le visage complètement fermé. Pas pour la tienne. Donne-moi une heure, Vince. J'ai besoin d'une heure.

CHAPITRE 9

À L'ÉCOLE DE LA VIE

L'averse s'était temporairement muée en crachin piquant. Les nuances charbon du ciel suggéraient toutefois que la pluie pouvait revenir en force à tout moment.

Son blouson sur le dos et son imperméable emprunté sous le bras, Dominic franchit le mur compact de curieux d'un pas décidé et entra dans l'épicerie sombre (les fluorescents au plafond avaient été éteints) et à peu près désertée.

Assise tout au bout de son comptoir-caisse, Shana tenait la pose, jambes croisées, en attendant son soupirant du moment. Elle portait une jupe plutôt courte, bleu cyan, et confectionnée dans le même coton souple que son haut fuchsia. Agrémenté d'un large ceinturon de cuir noir, l'ensemble était pour le moins voyant, mais indéniablement à la mode du jour, c'est-à-dire celle repiquée à la première moitié des années 1980, et que Dominic était assez vieux pour avoir connu, contrairement à sa conquête « vingtenaire ».

Voilà qui ne le rajeunissait pas, pensa-t-il en sentant poindre le début d'un scrupule.

— Si tu préfères laisser faire, commença-t-il, considérant c'qui vient d'arriver...

— J'leur ai dit c'que j'savais, répondit la jeune femme en décroisant lentement les jambes façon *Basic Instinct*.

Comme Catherine Tramell dans le thriller érotique de Paul Verhoeven, Shana ne portait pas de petite culotte.

— Fernand a toujours été bizarre, poursuivit-elle mine de rien. Y'était sur les antidépresseurs solide.

— Et tu sais ça comment ? s'enquit Dominic, qui devinait la réponse.

— Ton char est parké où ? éluda-t-elle.

— Y'est resté chez Vincent. C'était pas prévu, pour ton boss. De toute façon, toute est à distance de marche de toute, à Malacourt, non ?

— J'habite dans l'Rang 1, annonça Shana en ra-massant un blouson de jean, un sac à main en tissu doré et un parapluie rose posés près d'elle sur le tapis roulant du comptoir-caisse. Avec ma mère, précisa-t-elle en enfilant son manteau.

Dominic comprit qu'elle avait d'office compté sur la banquette arrière de son véhicule pour accueillir leurs galipettes.

Parce qu'il avait furieusement envie de la mettre, et parce qu'elle avait réussi à achever de l'exciter avec son numéro de Sharon Stone de province, il entreprit de lui faire trouver une cachette alternative sans avoir l'air de trop pousser.

— En ville ici, les jeunes qui veulent être… tran-quilles, où est-ce qu'y' vont ? Aux moulins désaffectés ?

Un sourire se dessina aussitôt sur les lèvres brillantes de Shana.

— Trop loin, répondit-elle en venant le rejoindre. Ils aiment mieux aller à l'école de la vie.

Pendant que Dominic était à l'intérieur, la Sûreté du Québec avait emballé la dépouille, puis remballé tout court. Aussi, certains badauds avaient-ils poussé la curiosité morbide jusqu'au stationnement privé du mort, derrière l'épicerie. Ce n'était sans doute qu'une question de minutes avant que l'un d'eux prît l'escalier d'assaut afin d'aller fureter par la lucarne de la porte d'entrée. D'autres étaient demeurés sur le trottoir, devant l'épicerie, attendant sans doute la sortie des employés.

Après avoir verrouillé la porte de l'établissement qu'elle était la dernière à quitter, Shana prit le bras de Dominic en se composant un air détaché face aux murmures de ses concitoyens occupés à ne pas avoir de vie à eux.

La bruine s'était changée en pluie.

— J'ai hâte de crisser mon camp d'icitte, lâcha Shana en ouvrant son parapluie.

Vain espoir, s'attrista Dominic, convaincu que si tel était réellement le souhait de la jeune femme, cela se serait produit depuis longtemps. Elle se serait débrouillée pour que cela se produise. On se débrouillait tous, croyait-il fermement. En toute circonstance.

— Mais sérieusement, on va où? interrogea Dominic lorsqu'ils eurent dépassé la Grand-Place en direction sud.

— J'te l'ai dit: à l'école, répondit-elle en marchant au pas de course alors que les gouttes de pluie gagnaient en nombre et en force de frappe.

Il l'imita quand elle prit à droite sur la 2e Avenue au bout de laquelle, plantée au milieu d'un grand terrain vague clôturé, juste après la rue des Cyprès, l'ancienne école primaire de Malacourt trônait toujours, désaffectée.

— J'avais jamais revu l'école… murmura Dominic en ralentissant le pas.

— Dépêche, dit Shana en courant vers une brèche très apparente dans la clôture grillagée.

Après avoir renfilé son imperméable par-dessus son blouson, Dominic s'y faufila à la suite de la jeune femme.

Le macadam de la cour de récréation était à présent presque entièrement recouvert de mauvaises herbes. De grosses touffes de chiendent avaient poussé dans les fissures.

Rongé par la mousse et le lierre, le revêtement de brique du bâtiment scolaire abandonné ne payait probablement pas de mine, dessous.

Vaguement mal à l'aise de se retrouver là, mais curieux de savoir où exactement l'entraînait Shana, Dominic la rejoignit derrière l'édifice où se dressaient autrefois glissoires et balançoires, et dont ne subsistait plus la moindre trace.

Shana examinait les fenêtres du sous-sol du bâtiment. Après une brève hésitation, elle s'exclama :

— C'est celle-là !

Elle s'accroupit près de la fenêtre en question et en retira sans effort la grille de métal censée bloquer l'accès.

— Ils l'ont dévissée v'là plusieurs années, ç'a l'air, expliqua Shana en poussant la fenêtre à battant. Ma p'tite sœur ma conté que c'est ici qu'son chum l'a amenée, la première fois, précisa-t-elle en se glissant dans l'ouverture large de soixante centimètres sur quarante environ.

Juste assez pour que Dominic s'y engouffre sans crainte d'y rester coincé, ce qu'il fit.

À environ un mètre sous la fenêtre, le dessus des casiers permettait d'avoir pied, constata-t-il en grimaçant, le sous-sol de l'école condamnée dégageant une forte odeur d'humidité et de moisissure.

Les lieux étaient faiblement éclairés par la lumière grise et froide du jour déclinant. On n'y voyait pas grand-chose, aussi Dominic sortit-il sa lampe de poche demeurée dans son imperméable.

Une multitude de particules de poussière et d'autres débris en suspension vinrent danser dans le faisceau bleuté. L'apparence de l'air ambiant était conforme à son odeur.

Par-delà les casiers, Dominic pouvait voir le gymnase, minuscule lui sembla-t-il, complètement inondé. Sous l'une des fenêtres opposées, une large fissure s'était formée dans le béton de la fondation, ouvrant le passage aux racines et à l'eau.

Avant que le sol de *terrazzo* ressemblât à une piscine, Dominic l'avait maintes fois foulé en jouant au ballon chasseur avec ses amis. Déjà à l'époque, il savait viser juste.

Étrange comme certains détails insignifiants lui étaient restés en mémoire alors que des grands pans de celle-ci, autrement plus importants, s'étaient volatilisés. Envolés, comme Agathe et Jacinthe, et comme Léanne.

L'espace d'un instant, Dominic crut entendre une clameur lointaine, joyeuse, comme si les murs pourris de l'école Marie-Reine avaient emprisonné l'écho des rires des enfants qui l'avaient jadis fréquentée.

— T'en viens-tu, Roméo ?

Après avoir repéré Shana, Dominic la regarda faire alors qu'elle trottinait sur les casiers, dos voûté, puis qu'elle s'y asseyait avant de poser les pieds sur un petit pupitre placé là afin de faciliter l'atterrissage.

Shana descendue, Dominic se prépara à en faire autant en prenant toutefois soin de tester la résistance du pupitre. Il pesait un peu plus que Shana, disons. Ça irait, détermina-t-il en y prenant appui avant de rejoindre la jeune caissière entreprenante et – cela promettait – pleine de ressources.

— Viens, dit-elle en prenant la main de Dominic pendant que de l'autre il leur taillait la route avec sa lampe de poche. C'est dans le local du concierge.

Ils eurent tôt fait de sortir du dédale de casiers – beaucoup moins nombreux que dans le souvenir de Dominic – et atteignirent sans encombre l'escalier qui menait au bureau du directeur et aux classes du rez-de-chaussée, puis à celles du premier étage. Le local du concierge se trouvait tout près de l'escalier, au sous-sol.

— Cette porte-là, c'est les fournaises, dit Shana comme si elle s'en souvenait en le disant, et celle-là… Ah !

Elle tourna la poignée et poussa la porte.

— Le local du concierge, confirma Dominic en balayant les ténèbres odorantes avec sa lampe de poche. Ça sent l'printemps longtemps, tu trouves pas ?

— On s'bouchera l'nez, dit Shana en s'avançant dans la pièce exiguë.

Ici, la fenêtre avait été obstruée avec un morceau de boîte de carton. Des produits et instruments de nettoyage du concierge, il ne restait rien ; rien qu'un étroit établi jouxté d'un lavabo industriel profond et, à vue de nez, poisseux. Un cimetière de capotes usagées, en l'occurrence.

En dirigeant le faisceau de sa lampe sur la surface poussiéreuse du plan de travail, Dominic remarqua un agrégat de chandelles retenues ensemble par un amas de coulisses plus anciennes. Tout à côté, dans un pot Mason, un gros paquet d'allumettes hydrofuges demeurait à la disposition des amants suffisamment courageux pour venir baiser en pareil endroit.

— Ma sœur m'avait pas dit qu'y avait des chandelles, chuchota Shana en craquant une allumette.

En entendant le bruit d'ignition, Dominic eut un bref spasme de surprise.

— Ça, elle me l'avait conté, par exemple, ajouta-t-elle en montrant quelque chose dans l'autre partie de la pièce.

Dominic éclaira la section que Shana désignait du doigt.

Jeté sur le sol jonché de détritus, un épais tapis de gymnastique avait été traîné depuis la remise du gymnase afin de recevoir les ébats des adolescents ou ceux, extraconjugaux, de leurs parents.

— Moi, j'me couche pas là-dessus, décréta Dominic en retirant son gros imperméable et en l'étendant soigneusement sur l'établi.

Devinant où il voulait en venir, Shana se laissa faire lorsqu'il la souleva afin de l'y asseoir.

La hauteur était ainsi parfaite pour que leurs pelvis respectifs pussent se regarder dans les yeux.

— T'aimes ça debout, hein Roméo ? souffla-t-elle en faisant mine de lui retirer sa casquette.

Sans brusquerie, Dominic écarta la main de Juliette, ou plutôt Shana, puis retira son blouson de cuir.

Un sourire coquin aux lèvres, elle commença à lui embrasser le cou en remontant langoureusement jusqu'à la naissance de sa mâchoire carrée et rugueuse.

Pendant ce temps, Dominic posa son manteau à côté de Shana, sur l'imperméable, puis glissa sa main droite sous le débardeur de la jeune femme tandis que de la gauche il lui caressait la nuque. Il s'était attendu à une fragrance sucrée ou fruitée. Elle sentait plutôt le jasmin.

Excité, il releva le corsage, dévoilant un soutien-gorge prune en dentelle de coton. Un après l'autre, il bascula les bonnets sans prendre la peine de dégrafer le soutien-gorge avant de retourner sa casquette devant-derrière en faisant fi de son pansement. Entre deux grognements satisfaits, il embrassa puis lécha les mamelons que la fraîcheur ambiante avait rendus durs et pointus.

Soudain pressée, Shana retroussa sa jupe avec beaucoup d'adresse sans détacher ses lèvres du cou de Dominic.

Pas de ceux à qui il fallait faire un dessin, le lieutenant-détective Chartier s'accroupit, saisit le cul chaud de la caissière à deux mains en la tirant vers lui puis enfouit son visage entre les cuisses ouvertes. Elle ne portait pas de parfum, il le découvrait avec plaisir, mais une crème pour le corps. Enduit de ce baume floral, son sexe goûtait la fleur de sel.

Tout en la mangeant, Dominic défit sa braguette et libéra sa queue. Il la tint fermement en se branlant très lentement au gré de ses coups de langue.

Se félicitant probablement d'avoir choisi aussi judicieusement, Shana arqua les épaules en frémissant.

Après l'avoir bien gâtée, Dominic se redressa, prêt à la pénétrer.

À la vue de son fier engin, Shana se mordilla la lèvre inférieure, signe qu'elle était satisfaite du spectacle. Sans chercher à être élégante, mais démontrant une belle souplesse, elle se pencha afin d'atteindre de sa bouche la verge au garde-à-vous. Elle y parvint sans peine et bientôt le râle approbateur de Dominic se mêla aux légers bruits de succion produits par les lèvres tendues de Shana.

— Enweye, rentre-moi-la, commanda-t-elle en reprenant sa position initiale, ses jambes entraînées formant un grand V aussi spectaculaire qu'accueillant.

Après l'avoir sorti de son portefeuille, Dominic enfila un condom ultra-mince et ultra-résistant et, ainsi ultra-paré, enfourcha la belle.

Elle lui mordit l'épaule gauche avec assez de fougue pour y laisser une marque rougeâtre. Elle mouilla beaucoup et gémit presque autant.

Lorsqu'il se retira, Dominic roula le condom et l'enleva en y déposant une dernière goutte de sperme. En attendant d'en disposer, il l'envoya choir sur l'établi – à côté de l'imperméable prêté – puis il se reculotta pendant que Shana redescendait sa jupe bleue.

En remontant la fermeture-éclair de sa braguette, il aperçut du coin de l'œil Shana qui ramassait la capote souillée. En un tournemain agile, elle la glissa dans son sac.

Gentleman, Dominic donna le change en l'aidant à descendre de l'établi.

— Faut que j'me sauve, annonça-t-elle avec à propos. Ma mère va s'inquiéter. Elle va vouloir que j'lui conte toute ça, c'est sûr.

— Tu lui racontes tes baises ? s'étonna Dominic.

— Han ? Ben non ! T'es pas ben ! Mon boss. Elle va vouloir que j'lui conte c'qui est arrivé à mon boss.

À la faveur du bon coup, Dominic en avait presque oublié Fernand Duguay. En renfilant son manteau, il inspecta sa poche droite et y trouva ses clés de voiture cliquetant contre la lettre chiffonnée.

Il n'avait nul besoin de la relire pour se souvenir de son contenu. Les mots, les lâches aveux d'un pissou, lui brûlaient encore les rétines dès qu'il y repensait.

J'ai vu ce qu'elle t'a fait. Je l'ai vu plus qu'une fois. J'ai jamais été capable de rien dire. Je m'excuse, avait gribouillé Fernand avant d'ingurgiter sa pharmacie au grand complet.

En revenant au bercail, Dominic avait réveillé non seulement sa mémoire endormie, mais également la culpabilité larvée de Fernand Duguay, jadis un adolescent amoureux qui, au lieu d'épier la jolie mère de Dominic, avait plutôt été le témoin des sévices infligés à l'enfant par sa gardienne, la beaucoup moins bandante Adélaïde. À l'évidence, le spectacle sordide avait produit sur Fernand son effet tordu, dont témoignait sa collection de films *S&M*.

À Vincent, tout à l'heure, Dominic avait dit vrai : la lettre du défunt confirmait que Fernand avait vu Adélaïde abuser de lui, mais elle n'éclairait en rien les disparitions, tant passées que présentes.

En supposant que feu l'épicier eût autrefois vu la gardienne – la sœur de Berthe – assassiner Agathe Boissonneau près des bouleaux, en admettant que cette dernière eût été tuée là, l'aurait-il confessé avant de mourir ?

En avouant sa faute à Dominic, Fernand cherchait à s'en délester, histoire de s'endormir pour de bon l'esprit tranquille. C'était la raison d'être d'une telle missive. Et tant qu'à avouer une faute aussi grave, autant avouer toutes les autres. Or, il ne semblait pas y en avoir d'autres.

Sachant cela, Dominic estima que les probabilités que Fernand eût été témoin du meurtre d'Agathe, ou de celui de Jacinthe, pour le compte, étaient faibles.

Mine de rien, tout cela tendait à confirmer deux points. *Primo*, la « vision » de Fernand tapi sous la fenêtre du salon émanait d'un souvenir réel, la lettre en attestait. *Deuzio*, et il s'agissait d'un cas classique de « ceci expliquant cela », sans doute en allait-il de même pour celle d'Adélaïde s'apprêtant à fracasser le crâne d'Agathe.

Autrement dit, probablement Dominic avait-il tout vu.

Agathe Boissonneau et Jacinthe Lussier avaient disparu le 25 septembre 1982 lors d'une balade à vélo. C'était un samedi après-midi. Il faisait anormalement chaud. Oui… anormalement chaud…

Et si elles avaient décidé d'aller admirer les eaux scintillantes qui coulaient sous le pont de la rivière aux Fées ? Et si, passé le pont, elles avaient décidé de pousser jusque chez Dominic, leur camarade de classe ? Était-ce vraisemblable ? Étaient-ils proches ? Il lui semblait que non… Mais en supposant que oui ? Adélaïde avait-elle repéré les deux fillettes dans la cour ? Avait-elle donné l'ordre à Dominic de l'attendre sagement dans la maison pendant qu'elle allait faire une « course » ?

Avec le recul, et maintenant qu'il s'était sorti la tête du sable, force était d'admettre que le comportement d'Adélaïde à son égard trahissait des penchants psychotiques sévères. L'occasion faisant le larron, peut-être la perspective d'un double meurtre sans témoin, croyait-elle, avait-elle été irrésistible pour Adélaïde.

Adélaïde adorait les enfants. John Wayne Gacy[7] aussi.

Et lui, avait-il désobéi à sa gardienne désaxée et assisté malgré lui au double assassinat de Jacinthe et d'Agathe ?

Le cas échéant, Adélaïde lui aurait-elle intimé de garder le silence et lui, terrifié, aurait-il acquiescé ? Possible et probable. Mais là encore, elle n'aurait pas voulu prendre de risque. Incendier une maison isolée, en pleine nuit, quoi de plus simple ?

« Dominic, t'as jamais pensé… que c'était peut-être toi, que l'incendie visait ? » avait suggéré Vincent.

Les paroles du sergent-détective Parent résonnaient encore dans son esprit quand le lieutenant-détective Chartier réalisa une chose fondamentale : depuis son arrivée à Malacourt, jamais, ou presque, il n'avait remis en doute le postulat qu'Agathe Boissonneau et Jacinthe Lussier avaient été assassinées.

---

[7] Tueur en série célèbre pour sa propension à se déguiser en clown afin d'amuser les enfants malades. Il a assassiné 33 jeunes hommes.

En y réfléchissant bien, il éprouvait la certitude qu'elles n'avaient pas « simplement » été kidnappées et qu'elles étaient toujours vivantes quelque part. Elles étaient mortes depuis trente ans. Il s'agissait-là de l'une des rares certitudes de Dominic.

— Bon ben, c'tait ben l'fun, dit Shana en s'apprêtant à partir tout en faisant du surplace afin qu'il comprenne que les services de sa lampe de poche seraient appréciés.

Oh… il était rendu loin, s'aperçut Dominic en revenant au sous-sol de l'école Marie-Reine. C'était entre autres pour éviter de penser qu'il préférait s'enivrer un peu avant de faire l'amour. Il eut alors très soif.

— Oui, ben l'fun, répéta-t-il, la bouche désespérément sèche.

Puis, revenant à des préoccupations plus urgentes, il ajouta en braquant la lumière de sa lampe sur le visage de Shana :

— J'vais juste te demander de m'rendre ma capote.

Peut-être n'était-ce que l'effet de l'éclairage blanc-bleu, mais il crut la voir blêmir sous son bronzage maison.

Prévenant la fuite qu'elle semblait encline à envisager, il crut bon de l'avertir en agitant la lampe de poche :

— As-tu vraiment envie d'courir dans l'noir ? Ici ?

Vaincue, elle ouvrit son sac, y plongea la main et en sortit le condom, qu'elle balança rageusement sur Dominic.

— Tu t'penses ben smatt', hein !? cracha-t-elle en perdant toute contenance.

Le couvre-chef de latex finit sa course par terre dans un bruit chuintant.

— De toute façon, t'aurais pas pu t'inséminer avec. J'suis stérile, ma belle, voulut la consoler Dominic qui n'avait toujours vu que des avantages à tirer à blanc. Si c'est une pension alimentaire forcée que t'espérais dans neuf mois, j'ai ben peur que t'aies misé sur le mauvais cheval, lui asséna-t-il en sachant pertinemment qu'il avait mis dans le mille.

— Ça m'apprendra à fourrer une police, écuma-t-elle. T'as beau être un étalon, t'es rien qu'un estie d'beu' sale, balança-t-elle en tournant les talons.

Puis, se retournant une dernière fois, elle extirpa de son sac à main un sac de petits pois surgelés destiné à garder la semence au frais. La bouche horriblement crispée, elle le lui balança en une ultime, et pathétique, tentative de représailles.

— Veux-tu que je t'éclaire pour sortir ? offrit-il en regrettant aussitôt son paternalisme condescendant.

Il devait admettre qu'elle l'avait bien cherché. Et quand bien même elle aurait mérité de prendre une débarque en remontant jusqu'à la fenêtre, Dominic la suivit discrètement afin de s'assurer qu'elle ne se rompe pas le cou en gravissant les casiers.

À l'instar du reste, elle fit ça comme une grande.

— Pleine de ressources, murmura Dominic en retournant dans le local du concierge.

Il remit sa casquette à l'endroit et, après l'avoir secoué vigoureusement, renfila son imperméable pardessus son blouson. Par égard pour les futurs utilisateurs du baisodrome de fortune, il souffla sur les bougies afin de les économiser.

Prêt à quitter le sous-sol humide, il allait refaire le trajet d'arrivée en sens inverse quand il se ravisa.

— Tant qu'à être là… dit-il à voix haute avant de gravir l'escalier coulé dans le même *terrazzo* que le sol.

Au rez-de-chaussée, tout était silencieux. Petit, tellement petit… En chassant les ténèbres avec la lumière de sa lampe de poche, Dominic découvrit graduellement l'état délabré des lieux.

L'air ici était un peu moins humide qu'au sous-sol, mais pour la poussière, c'était autre chose; en témoignait le ballet plus dense qu'en bas de particules voletant dans la lumière bleutée.

Hésitant à peine, Dominic alla fureter à gauche, du côté du bureau du directeur chez qui on ne l'avait jamais envoyé.

Tiens, pensa-t-il. Un souvenir de plus. Une certitude de plus: il n'était jamais allé dans le bureau de Gérard Surprenant.

Les larges portes de verre du portique de l'entrée du personnel avaient été vandalisées puis placardées. Une chaîne épaisse et un cadenas massif retenaient les deux longues poignées latérales ensemble, au centre. Des débris de verre jonchaient encore le sol, presque ensevelis sous une épaisse croûte de détritus: lambeaux de plâtre imbibés d'eau tombés du plafond, feuilles de papier à moitié décomposées, dessins d'enfants oubliés derrière…

Au contact du sol maculé, ses pas produisaient un son gluant désagréable.

D'un côté, un large meuble en bois destiné à recevoir les manteaux des enseignants, ouvert sur le devant et surmonté d'une tablette pour les sacs et les chapeaux, ne tenait plus que de guingois. De l'autre, la porte du bureau du directeur avait été arrachée.

Il était peu probable que des dossiers sur le personnel, sur sa mère, l'attendissent bien sagement dans un classeur demeuré là tout ce temps, mais Dominic n'avait rien à perdre. Contrairement à lui, sa mère était déjà entrée dans ce bureau. Elle avait même été brièvement courtisée par l'un de ses occupants.

Dominic s'y aventura donc, incertain de ce qu'il y trouverait. Debout dans le cadre de porte défoncé, il prit la précaution d'inspecter l'intérieur à distance en baladant le faisceau de sa lampe aux quatre coins de la pièce. Or, ce ne fut ni la fenêtre condamnée, ni le portemanteau renversé, ni la chaise sans dossier, qui attira son attention, mais l'odeur : des émanations infectes, immondes.

Lorsque le rayon lumineux éclaira le bureau qui trônait encore au milieu de la pièce, Dominic comprit d'où provenait l'odeur pestilentielle. Quelqu'un, ou quelqu'une, s'était donné le mal de grimper sur le bureau pour y déféquer. Prégnante, la puanteur attestait que le forfait – un ancien élève vengeur avait produit un « besoin » afin de répondre à un autre, aurait approuvé Freud – avait été commis récemment.

Près de la porte, quelques cannettes de bière grand format écrasées. Pas de classeur. Juste ces effluves fétides.

Sans demander son reste, Dominic s'éloigna du cadre béant et retourna à son point de départ, près de l'escalier. À droite, marquant un coude avec la volée de marches qui menaient au sous-sol, l'escalier le conduirait à l'étage. À gauche, une porte close ouvrait sur une petite cafétéria qui tenait lieu également de salle des professeurs, selon l'heure de la journée. Et tout droit... Tout droit, Dominic trouverait sûrement à taquiner sa mémoire.

Il s'apprêtait ainsi à aller explorer le corridor du rez-de-chaussée, histoire de revisiter le local de la maternelle, puis ceux des classes de première et de deuxième années, lorsqu'il s'arrêta net.

Pour accéder au corridor s'ouvrant à droite de l'escalier, on traversait un large cadre rectangulaire. Un espace vertical fermé d'un mètre de haut chapeautait

la partie supérieure du cadre. Dominic pointa le faisceau de sa lampe dessus. Au centre de cette zone qui
surmontait l'accès au corridor, une grande tache claire,
rectangulaire, venait d'attirer son attention.

Dominic fronça les sourcils puis, soudain, ses yeux
s'écarquillèrent.

CHAPITRE 10

SANCTUS

Dominic fit irruption dans le casse-croûte bondé peu avant dix-huit heures trente. Les gens étaient assis à six sur les banquettes faites pour recevoir quatre personnes. Le reste de la foule était debout, même devant le comptoir où les clients se tenaient en rang d'oignons, l'un accoté au tabouret, l'autre debout à côté, et ainsi de suite. Certains buvaient du café, mais la plupart tenaient une bière, en bouteille et pas dans un verre.

Linda, zigzaguant à travers la masse compacte, distribuait les consommations, encaissait puis rendait la monnaie avant de repartir de plus belle.

Derrière le comptoir, un tout jeune homme sortait les bières du réfrigérateur et les décapsulait à la chaîne. La propriétaire avait réquisitionné son pompiste pour le restaurant.

Malgré sa mine de déterré, personne ne fit trop attention à Dominic tant ça discutait ferme, à l'intérieur.

Sourd à la cacophonie citoyenne, il chercha Vincent du regard. Il le trouva adossé contre le mur du *diner*, tout au bout du comptoir.

— Linda ! interpella un type replet d'une cinquantaine d'années sur un ton bonhomme qui jurait avec l'humeur morose de l'assemblée. Dis à mon chum icitte que c'est vrai qu'avec ma grande expérience d'la vie, j'pourrais m'ouvrir un bureau d'psychologue.

Linda stoppa son service séance tenante.

— Ta grande expérience d'la vie !? Rodrigue, mon chéri, t'es jamais allé plus loin qu'Nottaway. Quand j'fais pipi dans ton jardin, y déborde, l'acheva-t-elle en dissimulant mal son amusement.

Impromptue, la mise en boîte provoqua quelques rires.

Dominic n'eut même pas connaissance de l'échange, qui survint pendant qu'il se frayait un passage jusqu'à Vincent.

— 'Faut que j'récupère mon char, dit Dominic. Y'a trente ans, ç'a rien à voir avec maintenant. Je l'sais, astheure.

En dépit de l'importance de cette dernière assertion, il avait parlé d'une voix éteinte. Ses yeux paraissaient eux aussi avoir été vidés de tout éclat.

Sur un ton curieusement similaire, Vincent rétorqua :

— Je l'sais. On a retrouvé la p'tite Léanne.

Il tenait une bouteille de bière vide et la tournait lentement entre ses mains.

— Un braconnier qui pêchait la barbotte, poursuivit-il. À la brunante, ça mord. 'Pense pas qui va s'ressayer pour un boute.

L'air hagard, Vincent continua son soliloque. Car à cet instant, n'importe qui d'autre que Dominic aurait pu se tenir devant lui.

— Le niveau du lac à la Grenouille a tellement grimpé vite à cause d'la pluie que l'corps a remonté. 'Était pris dans' vase à l'embouchure du lac. Le courant d'la rivière aux Fées a dû l'envoyer creux dans' vase quand la p'tite a abouti dans le lac. C'est pour ça qu'on l'a pas repérée en draguant le lac mercredi matin. J'connais ben le technicien en identité judiciaire. Il a rien repéré d'suspect. Le légiste va l'autopsier, mais l'médecin d'Nottaway avait pas l'air de voir de marques de violence d'aucune sorte lui non plus. Probablement qu'après sa crevaison proche du pont, elle se sera aventurée su' l'bord d'la rivière aux Fées en attendant qu'un char passe… Va savoir qu'est-ce qui peut passer par la tête d'une enfant de onze ans, conclut Vincent d'une voix étranglée.

— Elle a probablement voulu regarder les Fées dans les yeux en passant de l'autre bord d'la rambarde, murmura Dominic en se souvenant des adolescents qu'il avait vus faire, jadis.

Vincent leva les yeux vers lui sans comprendre de quoi il parlait.

La pluie avait cessé, remarqua alors Dominic comme s'il émergeait d'un long sommeil. Et c'était le cas, d'une certaine manière. Dans un accès de lucidité, il prit la pleine mesure de ce que venait de lui apprendre Vincent, et de ce que lui venait de lui dire.

Tous les policiers redoutaient ce genre d'affaire, comme ils se l'étaient dit tous les deux. Et le sergent-détective Parent venait de se retrouver face à son premier cadavre d'enfant.

Luttant de toutes ses forces contre le sentiment d'urgence qui menaçait de le faire exploser, Dominic chercha en vain une parole de réconfort, à moitié présent mentalement.

Lui aussi à demi là, à demi ailleurs, son confrère le devança :

— J'ai été appelé à cinq heures et quart, dit Vincent. T'étais déjà occupé avec la belle Shana. Comment t'as su que…

Puis, réalisant dans quel état se trouvait Dominic, il reprit :

— Qu'est-ce qui t'est arrivé ? T'as l'air d'avoir vu...

— J'ai vu un fantôme, confirma Dominic sur un ton dans lequel ne perçaient ni doute, ni ironie. En faite, j'ai vu l'empreinte d'un fantôme.

Sans demander plus d'explications, et Dominic lui en sut gré, Vincent posa sa bouteille vide sur le comptoir et ouvrit la route jusqu'à la porte.

Dehors, les lampadaires s'étaient allumés. Quelques étoiles étaient déjà visibles sur fond bleu hussard.

— Tu dis qu't'as besoin de ton char ? répéta Vincent en se dirigeant vers sa voiture de patrouille, garé à l'endroit habituel dans la rue Principale.

— J'dois parler à madame Berthe. Une... dernière vérification.

En disant cela, Dominic eut l'impression que ses poumons se vidaient de leur air. Il avait ressenti la même chose avant de quitter l'école Marie-Reine en état de choc. Il se sentait d'ailleurs de nouveau envahi par cette torpeur anesthésiante...

Il sentit alors quelque chose se fissurer en lui ; une brèche s'était formée dans sa muraille de déni entretenu et de vécu escamoté, et à présent, elle menaçait de voler en éclats. Dominic y avait résisté de justesse, à l'école, puis en allant rejoindre Vincent, deux minutes plus tôt.

Vincent qui était presque arrivé, sans le savoir, à lui éviter d'être emporté par un véritable refoulement d'égout psychique. Mais là, c'était trop tard, comprit Dominic en se sentant partir.

— Dom !? Ça va ? demanda Vincent en regardant Dominic par-dessus le toit de la voiture.

Dominic fixait le vide, immobile.

— Crains pas que si c'est sa sœur qui a tué les deux autres p'tites, pis qu'elle était au courant, m'a l'arrêter drette là, la Berthe, promit Vincent. Pis si c'est elle qui a mis l'feu, ben… Ben 'est pas sortie du bois, fie-toi sur moi ! C'est débarré, ajouta-t-il en ouvrant sa portière, les yeux toujours rivés sur Dominic qui finit par ouvrir la portière du passager.

— On va arrêter chez Berthe avant d'aller chercher ton char chez nous, suggéra Vincent. C'est sur le chemin.

Dominic acquiesça distraitement.

— Saint, Saint, Saint le Seigneur… scanda-t-il soudain, ce qui mit le conducteur aux abois.

— Dom, qucssé qu't'es en train d'me faire, là ?

— T'allais pas à la messe, le dimanche ?

Vincent accéléra.

— Saint, Saint…

— Dom ? On arrive chez Berthe, là. C'est la prochaine maison. Regarde, on commence à la voir.

Vincent s'était adressé à Dominic comme on parle à un enfant, et ce fut ainsi que lui répondit ce dernier.

— Maman m'emmène à l'église tous les dimanches. Il faut pas parler, il faut écouter. Sauf quand on chante. Saint, Saint, Saint, le Seigneur, Dieu de l'univers…

Ébranlé, Vincent se gara dans l'allée de Berthe, derrière la voiture de celle-ci.

— On est rendus, Dom. Dominic ? On est rendus.

Dominic regarda dehors et sourit en reconnaissant le bungalow de Berthe.

— C'est madame Berthe qui habite ici ! C'est mon enseignante, cette année ! Elle vient prendre un café à la maison, des fois, le samedi après-midi. Dans c'temps-là, il faut qu'Obi-Wan reste à la cave, pour pas déranger la visite. Moi, je joue avec mes figurines et j'écoute.

— Dominic ? On va aller voir Berthe, là. OK ?

— Pour vrai ? Oui !

Vincent observa avec effarement le spectacle de la brusque régression de son confrère.

— Berthe, cria-t-il en suivant Dominic jusqu'au perron, trop paniqué pour penser à fermer sa portière.

Alertée par l'arrivée inattendue de la voiture de patrouille, l'institutrice retraitée ouvrit aux deux hommes, une lueur d'inquiétude dans le regard.

— Bonsoir, madame Berthe ! dit Dominic avec bonne humeur. Le monsieur m'a amené vous voir parce que vous êtes mon enseignante préférée !

Dominic prit tout à coup un air inquiet.

— Savez-vous où est maman, madame Berthe ? s'enquit-il d'une toute petite voix. Est-ce qu'Adélaïde est à côté ? Est-ce qu'elle va me garder, aujourd'hui ? Je l'aime beaucoup, moi, Adélaïde. On fait des dessins ensemble avec plein d'couleurs.

Bouche bée de trouver son ancien élève ainsi diminué, Berthe chercha des yeux le regard de Vincent, vit que celui-ci était complètement hors du coup. Puis, revenant à Dominic, la vieille dame lui flanqua une violente gifle au visage.

Vincent et Berthe fixèrent Dominic en attendant la suite.

— Mer… merci, finit par articuler ce dernier en se frottant la joue.

Il regarda autour de lui, comme pour s'assurer que tout était revenu à la normale, à commencer par lui, puis, ressaisi, il demanda :

— Est-ce qu'on peut entrer, Berthe ? C'est… c'est important.

— Je veux bien te croire, dit-elle, encore secouée. Entrez, tous les deux. Entrez.

Elle les précéda à l'intérieur et se rendit directement à la cuisine. Comme elle l'avait fait lors de la première visite de Dominic, elle sortit sa bouteille de scotch et, sans mot dire, vint la poser sur la table avec trois verres.

— Vincent, demanda-t-elle, pourrais-tu verser s'il te plaît ? Mes mains tremblent trop pour l'instant.

Ils étaient assis tous les trois autour de la table de Berthe. Les deux albums photos y trônaient toujours. L'ambiance était encore lourde de l'épisode régressif.

Après une première gorgée hâtive, nécessaire, Dominic attaqua.

— Berthe, vous êtes formelle que j'ai jamais eu d'autre gardienne qu'Adélaïde ?

— Formelle ? Bien... Oui, je le suis. Je ne t'ai jamais connu d'autre gardienne, Dominic. Ta mère te trimballait partout avec elle. La conciliation travail-famille, elle aurait pu l'inventer.

— Saint, Saint, Saint, le Seigneur...

— Dom, tu vas pas recommencer, supplia Vincent.

— ... Hosanna, au plus haut des cieux, compléta Dominic en contemplant son verre un long moment avant de le vider d'un trait. Vous êtes trop jeune pour avoir connu Hosanna, Berthe.

— Ma foi, dit la doyenne en se tortillant sur sa chaise, mal à l'aise, la seule Hosanna que je connaisse, c'est Hosanna Lesieur. Et quand je dis que je la connais, c'est une façon de parler, puisqu'elle a fondé l'école Marie-Reine il y a presque un siècle. Elle était...

— La sœur du curé Lesieur... acheva Dominic.

— C'est ça, confirma Berthe, la sœur du curé Lesieur, le prêtre fondateur de Malacourt. Elle a été victime de la médisance locale, la pauvre Hosanna. On colportait des ragots sur elle avec tellement de véhémence qu'elle a fini par mettre fin à ses jours. Elle devait être en dépression... À l'époque, le terme

aurait été « neurasthénie », mais ça passait malheureusement inaperçu, la plupart du temps. Je ne devrais
pas dire ça, compte tenu de son destin tragique, mais
ça m'a toujours fait sourire, cette rumeur selon laquelle elle était en réalité la maîtresse du curé. Ce
n'est pas pour dire du mal des morts, mais elle ressemblait davantage à Bette Davis qu'à Joan Crawford,
expliqua Berthe en prenant une petite gorgée, son
émoi commençant enfin à tomber, mais pas son malaise.

Voyant que la comparaison ne disait strictement
rien aux deux jeunes hommes, elle reformula :

— Hosanna Lesieur n'avait pas été gâtée par la
nature. Mais elle avait d'autres qualités. Elle était
bonne et dévouée. Après tout, elle a fondé une école.
Elle devait aimer les enfants.

— Les adorait-elle, Berthe ? s'enquit Dominic
d'une voix neutre.

La vieille dame baissa la tête.

— Tu dois te souvenir de son portrait, Dominic ?
murmura-t-elle. À l'école ? À l'origine, il était accroché
dans le hall où entraient le personnel et les parents,
mais en 1963, on l'a installé à l'entrée du corridor
du rez-de-chaussée, près de l'escalier. Comme ça,
les enfants n'avaient pas le choix de passer sous le
regard impérieux de la fondatrice de l'école et ça les
dissuadait de se rendre à leur classe en courant.

Berthe sourit à ce souvenir.

— Elle était très digne, avec sa Bible. Il fallait avoir
l'air sévère, à son époque, mais je ne crois pas qu'elle
l'était, conclut-elle.

— Vous parlez comme si vous l'aviez connue,
Berthe, remarqua Dominic, qui souhaitait éviter ce
déballage à la pauvre femme, mais qui savait par
ailleurs qu'il fallait en passer par là.

Berthe baissa la tête, comme prise d'une lassitude infinie.

— À quel moment as-tu su? demanda Berthe en ramassant l'un des deux albums photos sans attendre de réponse. Tiens, dit-elle en l'ouvrant à l'intention de Vincent. Ça, c'est ma sœur jumelle Adélaïde. Inutile de préciser que nous n'étions pas des jumelles identiques.

Sans un mot de plus, Berthe se leva et, après être passée près des deux hommes, emprunta le corridor jusqu'à sa chambre.

Dominic et Vincent l'y suivirent.

Vincent contemplait le portrait de Hosanna sans comprendre.

Tout à l'heure, à l'école Marie-Reine, Dominic s'était souvenu. Tout, ou presque, lui était revenu. Y compris l'image fugace de Hosanna Lesieur trop sommairement captée par la lueur de son téléphone pour qu'il l'enregistrât sur le coup lorsqu'il avait clandestinement inspecté la chambre de Berthe.

— De son vivant, je n'ai jamais compris comment il se pouvait que les gens ne fassent pas tout de suite l'association avec Adélaïde, murmura Berthe. Elle lui ressemblait tellement. Mais peut-être qu'ils préféraient ne pas savoir. Ou qu'ils faisaient juste semblant.

— Hosanna Lesieur était…

Dominic s'abstint d'en dire plus.

— Notre mère, oui, avoua Berthe en s'approchant du portrait que Dominic avait encore du mal à regarder plus de quelques secondes d'affilée tant son sujet avait nourri ses cauchemars.

Sortant pour la première fois de sa bulle depuis leur arrivée, Vincent prit sur lui de poser la question qui leur brûlait les lèvres, à Dominic et à lui.

— Donc, la rumeur disait vraie ? Le curé et elle, ils étaient pas vraiment frère et sœur, en fin de compte ?

— Oh oui, ils l'étaient, assura Berthe, qui avait manifestement eu le temps de se faire une raison. Adélaïde n'était pas… comme tout le monde, à cause de ça. Mais elle était la gentillesse même. Et elle était fiable. La preuve : ta mère n'a jamais craint pour toi en te confiant à elle. Si ma mère, enfin, celle qui nous a élevées toutes les deux… Si elle ne m'avait pas tout raconté, j'ignore si j'aurais fini par deviner. Je parlais de la ressemblance entre Adélaïde et Hosanna, notre mère biologique, à l'instant… Parfois, on a la vérité sous les yeux, nette, évidente, et on ne la voit pas.

Dominic, qui s'était lui aussi avancé dans l'intervalle, passa un bras apaisant autour des épaules menues de Berthe.

Reconnaissante, cette dernière appuya sa tête contre le torse de son ancien élève.

— J'ai récupéré son portrait, souffla-t-elle. Quand ils ont fermé l'école, je l'ai récupéré. Personne ne me l'a réclamé. Personne n'en voulait. Chaque soir en me couchant, et chaque matin en me levant, je la regarde, je regarde ma mère, et je lui invente des bouts de vie. Je connais quelques parcelles de son histoire, de son drame. Je ne la juge pas. Son frère et elle s'aimaient. Il est devenu curé et ça n'a rien changé. Elle a fini par tomber enceinte. Les Lacombe étaient des cousins. Ma mère adoptive, Solange, venait de faire une fausse couche lorsque Hosanna lui a confié son secret. Solange a fait semblant d'être toujours enceinte et Hosanna s'est installée chez les Lacombe pour aider Solange, supposément. Elle y a passé six mois, cloîtrée. Adélaïde et moi sommes nées. Ma mère, Solange, m'a tout confessé la veille de mon mariage. Elle voulait me dissuader de me marier parce qu'elle craignait que je mette au monde… quelqu'un comme Adélaïde. Ou pire. Bien pire. Elle aurait préféré que je devienne bonne sœur. Elle devait estimer que ça aurait contribué à… à expier la faute familiale. Les ordres n'avaient pourtant pas été d'un grand secours pour mon père biologique…

Vincent, qui était demeuré en retrait, secoua la tête, sonné par ce développement.

— Mais là, Dom, commença-t-il, tu m'as ben dit qu'ta gardienne était folle ? T'as pas halluciné le serrage de bras pis… pis l'reste !?

Dominic sentit le petit corps de Berthe se raidir contre lui.

— Quel serrage de bras ? Quelle gardienne folle ? voulut-elle savoir en levant des yeux implorants vers lui. Adélaïde est la seule à qui Diane te confiait. Elle t'a pas fait du mal, au moins ? Elle t'aimait tellement… et toi aussi, non ?

— Adélaïde m'a rien fait, la rassura Dominic en inclinant la tête suffisamment pour que son front aille toucher celui de Berthe.

Sous le regard confus de Vincent et celui, atterré, de Berthe, Dominic se détacha doucement de cette dernière et regagna la porte, très calme, très serein. L'angoisse l'avait quitté. Il ne se sentait plus ni fébrile ni anxieux.

— Vous l'avez dit, Berthe, rappela-t-il en sortant de la chambre. Adélaïde était ma seule gardienne.

Vincent et Berthe suivirent Dominic dans le corridor puis le regardèrent quitter le bungalow, médusés.

Il passa à côté de l'auto-patrouille sans s'arrêter et gagna directement la route. Il n'avait pas franchi cinquante mètres que Vincent le rejoignait en courant.

— Attends-moi, ciboire! dit-il en reprenant son souffle. Y'a fallu que j'la rassure un peu, pauvre Berthe. 'Est dans tous ses états. Viens, on va retourner prendre le char. Tu t'en vas là-bas, c'est ça?

Il parlait de la maison de fumée, et oui, c'était là que se rendait Dominic. Cette fois, il ferait son pèlerinage jusqu'au bout.

— J'vais marcher un peu, Vince. Tu peux revenir avec l'auto si tu veux.

Vincent parut satisfait de ce compromis et rebroussa chemin tandis que Dominic poursuivait le sien.

Le lieutenant-détective Chartier marcha quelques minutes. Il était sur le point de s'engager sur la voie qui menait au Rang 2 lorsque son ombre commença à s'allonger sous l'effet des phares de la voiture de patrouille du sergent-détective Parent, qui ralentit puis vint se garer tout juste devant Dominic.

En s'approchant du véhicule, Dominic aperçut Berthe, assise sur la banquette arrière, très droite, les mains posées sur les genoux.

Voilà qui était ennuyeux.

Après avoir pris une profonde inspiration, Dominic monta à bord.

— Va lentement.

Ce fut sa seule requête.

Ce jour-là, le 25 septembre 1982 vers le milieu de l'après-midi, Diane Chartier rentrait chez elle après avoir fait les courses.

Assis à côté d'elle, son fils Dominic regardait le paysage défiler derrière la fenêtre du passager. Complètement absorbé par la contemplation de la campagne ensoleillée qui commençait à peine à changer de couleur, l'enfant avait la bouche un peu entrouverte sous l'effet du ravissement.

— *Ferme ta bouche! ordonna sa mère en lui balançant une taloche sous le menton. T'as l'air d'un demeuré, la bouche ouverte comme ça. Sais-tu c'est quoi, un demeuré? C'est un p'tit gars qui s'tient la bouche ouverte sans raison.*

Quand elle s'énervait de la sorte, la voix de sa mère baissait d'abord d'une octave, puis montait, montait, montait. Les veines de son cou saillaient, saillaient horriblement; son visage se tordait, se déformait. Et ça y était: madame Jekyll cédait la place à Mrs Hyde.

— *J'ai pas élevé un demeuré, m'entends-tu? Réponds quand j'te parle, éructa-t-elle. Réponds! Mais vas-tu répondre!?*

Terrifié comme il l'était chaque fois qu'il se retrouvait seule avec sa mère, c'est-à-dire la plupart du temps, Dominic n'arrivait plus à parler. Il gelait. Or en ce 25 septembre après-midi de l'année 1982, il aurait tant voulu parler, car juste devant eux, juste avant le pont de la rivière aux Fées, Jacinthe Lussier venait de se pencher pour récupérer le vélo qu'elle avait laissé sur le bas-côté.

Et il se trouvait que, pendant qu'elle était occupée à invectiver son fils, Diane Chartier avait quitté la route des yeux et fonçait droit sur la gamine.

Ce fut le regard épouvanté de Dominic qui incita sa mère à regarder devant elle. Elle freina trop tard et la tête de Jacinthe heurta de plein fouet le pare-chocs avant.

Sa voiture immobilisée, Diane se précipita dehors. Dominic était paralysé par la peur. Il ne voyait pas le corps de Jacinthe, juste l'expression de sa mère. Ce n'était même pas de l'horreur ou de la panique, c'était… comme de la contrariété.

Après avoir rapidement regardé alentour, elle revint prestement sur ses pas, arracha la clé du contact puis, adressant un regard glacial à son fils:

— *Rends-toi utile pis va ramasser son bicycle.*

Sur ce, elle alla déverrouiller le coffre, retourna prendre le corps de la fillette et l'y dissimula en l'enroulant sommairement dans une bâche de toile servant à garder le revêtement intérieur propre. Pendant ce temps, Dominic lui amena la bicyclette, qu'elle fourra sans ménagement par-dessus la dépouille.

Ils remontaient en voiture lorsque Dominic avoua :

— *Y en avait deux.*

— *Y avait deux quoi ? Parle, maudit insignifiant !*

— *Y avait deux bicycles.*

Diane redescendit aussitôt de son véhicule en claquant la portière. Couché contre le flanc du fossé et en partie caché par le foin, il y avait effectivement un deuxième vélo.

Tel un oiseau de proie, Diane scruta lentement les hautes herbes en bordure de la route, puis les bosquets et le boisé, au-delà. Enfin, elle repéra la petite Agathe Boissonneau, qui eut le malheur de relever brièvement la tête au même moment pour voir si la voie était libre.

Diane partit à ses trousses comme une furie. La fillette n'eut aucune chance.

Peu après que sa mère eut suivi sa camarade de classe dans les bois, Dominic la vit revenir en se hâtant.

Une longue traînée rouge souillait sa robe bleu clair, éclipsant le délicat motif floral ton sur ton.

Le trajet jusque chez eux n'était plus très long à partir du pont, mais il parut néanmoins durer une éternité à Dominic. Il regardait droit devant lui, chacun de ses muscles crispés comme jamais auparavant. Il regardait droit devant lui, mais s'il s'était retourné, il aurait croisé le regard de Jacinthe tapie sur la banquette arrière, prête à l'attraper. Prête à l'accuser. Quand sa mère l'avait déposée dans le coffre, il avait vu sa tête, toute rouge de sang. On aurait dit qu'elle portait une tuque, malgré la journée chaude.

Quand, enfin, ils remontèrent l'allée et qu'apparut leur maison au bout de celle-ci, l'enfant se surprit à croire pendant une fraction de seconde que tout cela n'était qu'un cauchemar et qu'il finirait par se réveiller. Toute son existence auprès de sa mère, sa vie dans cette maison : tout cela, un cauchemar.

— Ma mère les a tuées, articula péniblement Dominic lorsque Vincent eut traversé le pont.

— Pardon ? faillit s'étouffer le second.

Derrière eux, Berthe émit un petit son étranglé, mais elle ne souffla mot.

— Elle a renversé Jacinthe avec l'auto pis elle a caché l'corps dans le coffre, continua Dominic. C'est après qu'elle a aperçu Agathe, qui l'avait forcément vue faire. C'est ma faute. C'est moi qui lui ai dit qu'il y avait un deuxième bicycle sur le bord du chemin.

— Attends, là, l'arrêta Vincent. On parle ben de ta mère ?

— Sainte Diane Chartier, oui.

Dominic se tut, mal à l'aise de savoir Berthe derrière lui. Mal à l'aise à l'idée de lui causer du chagrin.

Il n'ouvrit plus la bouche jusqu'à ce qu'ils se fussent garés à l'entrée de l'allée de saules pleureurs.

Munis de leurs lampes de poche respectives, Dominic et Vincent refirent le même trajet que dans l'après-midi après la bière chez le second. À la différence notable que, cette fois, Berthe s'était jointe à eux.

— Elle s'est stationnée là, dit Dominic en indiquant un point de la clairière tout près du flanc sud de la maison. Elle s'est dépêchée de sortir de l'auto, pis elle est venue me tirer par le bras. Elle m'a presque traînée en arrière d'la maison.

— *On va aller chercher l'autre, astheure,* siffla *Diane entre ses dents.*

— Elle m'a obligé à la suivre jusqu'à la trouée de bouleaux blancs, se souvenait Dominic au fur et à mesure qu'ils contournaient les décombres.

— *Regarde c'que tu m'as fait faire, glapit-elle en le prenant par la nuque et en lui collant presque le nez contre le crâne défoncé de la malheureuse Agathe adossée contre un bouleau, morte. C'est ta faute, m'entends-tu!? C'est TA faute!*

— Elle regardait pas où elle allait. Elle était trop occupée à m'crier des bêtises…

Quand elle se décida à lâcher son fils, Diane se pencha pour récupérer la dépouille de la fillette, puis elle se ravisa. Tout à côté du corps gisait la grosse roche pointue avec laquelle la maîtresse de troisième année avait commis l'impensable. Diane la ramassa puis fit mine de frapper Dominic, qui se protégea instinctivement avec les mains. Ne ratant jamais une occasion d'instiller un peu de terreur chez sa progéniture, Diane éclata d'un rire mauvais. Jamais encore sa nature profondément sadique ne s'était dévoilée avec autant de violence.

— Elle a retiré les quatre grandes dalles de ciment qui pavaient l'centre de sa serre et pis elle a creusé. C'est là qu'elle les a enterrées. Dans sa roseraie, dit Dominic en montrant l'entrelacs de ronces et de bouts de bois qui partageaient désormais l'espace avec le cornouiller sanguin.

— Et les bicyclettes? interrogea Vincent avec un pragmatisme qui le surprit lui-même.

— Y'avait un cagibi, à la cave. Comme un trou percé dans un des murs de fondation. Ça descendait un peu plus bas dans la terre battue. C'était une sorte de garde-manger paysan pour conserver les légumes au frais, dans l'temps.

— *Sais-tu, t'es bien trop jeune pour t'occuper d'un chien, Dominic. C'est à peine si t'es propre à six ans.*

*Non… c'était pas une bonne idée, de prendre un chien.
J'en ai assez d'un.*

— Ma mère a enfermé Obi-Wan là-dedans jusqu'à
temps qu'il meure. Elle venait de me l'offrir. C'était
juste un chiot. C'était juste un autre de ses jeux
sadiques. Dès qu'on est rentrés avec de chez l'père
Vachon, elle est descendue à la cave avec le chiot pis
elle l'a embarré là, dans l'cagibi. Je l'ai entendu
s'lamenter toute la fin d'semaine. Pis dans la nuit du
dimanche au lundi, il a arrêté. Il a dû mourir le mardi.
Après, ma mère a continué à faire comme s'il était
vivant. Elle a continué pendant deux ans. À l'épicerie,
elle achetait des *cans* de bouffe à chien pis elle en
parlait comme d'un bon chien d'garde, pis que ça me
faisait un ami pour jouer étant donné qu'on habitait
loin. Quand vous veniez faire un tour certains samedis
après-midi, Berthe, officiellement, Obi-Wan était enfermé à la cave pour pas déranger. Ma mère a aussi
déjà prétexté qu'il avait cassé sa laisse, dehors. Je t'ai
dit qu'il pouvait pas sortir d'la cour, hein ? En fait,
c'était juste moi qui pouvais pas sortir d'la cour, mais
comme moi c'était lui et que lui c'était moi…

— Qu'est-ce tu veux dire, Dom ? demanda Vincent.

— Berthe, la supplia Dominic, ce serait mieux
qu'vous retourniez dans la voiture. C'est pas juste que
vous allez pas aimer c'que vous risqueriez d'entendre.
C'est surtout qu'ça pourrait vous faire du mal. Ben
du mal. Pis j'veux pas ça.

Pour toute réponse, la vieille femme marcha jusqu'à
lui, tout près, puis le serra dans ses bras qui réus-
sissaient à peine à entourer le torse de Dominic. Ils
demeurèrent ainsi un moment, puis elle desserra son
étreinte et recula d'un pas, la tête haute, une main
tenant celle de Dominic.

Elle ne bougerait pas.

— La fin d'semaine, reprit-il, j'avais l'droit de jouer avec mes figurines d'*La Guerre des étoiles* pendant qu'elle me surveillait, assise dans son damné fauteuil. C'étaient mes seules bébelles. Elle avait acheté la bande dessinée du film pis quèqu' bonhommes juste avant que j'commence la maternelle, pour que je puisse dire que j'avais des jouets. C'est d'ailleurs à l'école que j'ai appris tout ce qu'il y avait à savoir sur *La Guerre des étoiles*. À la maison, on n'avait pas d'télévision. Une autre lubie d'ma mère. J'ai jamais vu les films. 'Jamais été capable. Pour ce qui est d'mes p'tits bonhommes – Han Solo, Boba Fett, Luke Skywalker pis Obi-Wan Kenobi –, je jouais jamais ben ben longtemps avec. Ma mère inventait toujours une raison pour me punir. Elle me faisait venir à elle. Elle me serrait l'bras jusqu'à temps qu'les larmes coulent. Si j'avais l'malheur de gémir, c'était pire. Mais j'avais beau pas faire un son… Après, j'devais me déshabiller. Au complet. Pis là elle me regardait. Pis elle riait. Pis elle me disait…

— *T'es pas mon fils!*

— … T'es pas mon fils. T'es un chien…

— *Dans l'coin!*

— … Couché! C'est ça qu'Fernand Duguay a vu par la fenêtre du salon en espionnant ma mère. Ça l'a excité pis ça l'a traumatisé, égal. Il s'est excusé. La lettre… rappela Dominic à Vincent. J'ai pensé qu'il parlait d'Adélaïde, mais il parlait d'ma mère.

Il marqua un temps. Il avait les yeux secs. Il en fut surpris.

— Le matin, poursuivit-il, je devais remplir le bol d'Obi-Wan. Pis j'devais également le vider. Pareil le soir. Ma mère se cuisinait un beau souper, elle mettait une belle table pis elle s'y installait dans sa belle robe pis elle mangeait à table pendant que moi, je mangeais à quatre pattes à terre, la face dans la bouffe à chien. Si j'vomissais, fallait que j'mange mon vomi.

Toute trace de flegme disparue, Vincent dégueula.

Berthe, elle, ne broncha pas. Elle serra un peu plus fort la main de Dominic.

— Fallait que j'dorme à terre au pied d'son lit. Le soir, elle me racontait une histoire pour m'endormir. Elle alternait invariablement les deux mêmes histoires : comment elle avait enduit le fond du bain avec d'la graisse végétale pour faire glisser mon père avant ma naissance, pis comment elle avait elle-même préparé le dernier repas de mes grands-parents pour toucher l'assurance-vie avant qu'ils la déshéritent. Passait encore que ma mère vive « accotée », mais une grossesse hors des liens sacrés du mariage, c'était trop pour eux autres.

Contrairement à ses parents, Diane Chartier n'était pas croyante. La messe dominicale, ce n'était qu'une autre de ses diversions. Diane avait besoin d'être admirée, aussi ne pouvait-elle pas adorer un dieu, quel qu'il fût. Mais elle avait le sens du spectacle, ceux, charmants, qu'elle mettait en scène à l'école, et celui, abominable, dont Dominic était l'unique spectateur et protagoniste.

Aussi la messe du dimanche constituait-elle l'une des scènes récurrentes du théâtre familial. Tiré à quatre épingles, sagement assis à côté de sa mère, l'enfant suscitait les regards approbateurs et les commentaires élogieux des fidèles beaucoup plus âgés. Derrière son attitude modeste, Diane se repaissait des compliments.

Très tôt, Dominic avait dû apprendre le Sanctus, l'hymne d'adoration qu'entonnait la congrégation juste avant la prière eucharistique. « Saint, Saint, Saint, le Seigneur, Dieu de l'univers. Le ciel et la

terre sont remplis de ta gloire. Hosanna au plus haut
des cieux ! Béni soit celui qui vient au nom du Seigneur. Hosanna au plus haut des cieux ! »

*À leur retour à la maison après son premier jour
dans la classe de maternelle de l'école Marie-Reine,
Dominic, alors âgé de cinq ans, avait demandé à sa
mère qui était la dame représentée sur le tableau
ornant l'entrée du corridor du rez-de-chaussée.*

*Dominic avait appris très tôt à poser le moins de
questions possible à sa mère. Moins il suscitait d'in-
teractions, mieux il se portait. Or en cette occasion,
il n'avait pu réprimer un élan de curiosité bien de
son âge. Avec son air sévère, la dame au portrait
l'avait effrayé. D'où cet irrépressible besoin de savoir
qui elle était.*

*Mal lui en prit. Non que Diane maltraitât physi-
quement son fils pour avoir osé parler sans y avoir
d'abord été invité. Avec Diane, les règles changeaient
constamment. C'était plus déstabilisant ainsi, plus
imprévisible. Cela gardait sa victime sur le qui-vive.*

*Durant le retour à la maison ce jour-là donc, la
mère expliqua à son fils par le détail qui était la
femme en question.*

*— C'est Hosanna Lesieur, la fondatrice de l'école.
Hosanna, comme dans la prière. Répète-la ! Répète
le Sanctus ! exigea-t-elle à brûle-pourpoint.*

*Dominic s'exécuta en priant, justement, pour ne
pas se tromper. Il réussit un sans faute.*

*Sans quitter la route des yeux, Diane poursuivit,
déçue :*

*— Ma maison, c'est Hosanna Lesieur qui en a été
la première occupante. C'était la sœur du curé qui a
fondé la ville. Il avait fait construire la maison pour
elle.*

Diane jeta un regard furtif à son fils puis insinua :

— On dit qu'ils étaient plus que frère et sœur. Comprends-tu c'que ça veut dire, Dominic? Réponds!

— Non, avoua-t-il en espérant que le ton de sa mère ne descendrait pas d'une octave.

— Évidemment qu'tu comprends pas! Insignifiant. Dis à maman qu'tu l'aimes. Dis à maman qu'tu l'aimes, insignifiant!

— Je t'aime, maman.

— Pfft! Menteur. Pis moi qui prends le temps de t'expliquer des choses de grandes personnes, geignit-elle en actionnant son clignotant lorsqu'elle arriva en vue de la fourche du Diable. Oui, des choses de grandes personnes! Parce que sais-tu ce qu'elle a fait, Hosanna Lesieur? Le sais-tu? Ben j'vais te l'dire: elle s'est pendue dans la cave de la maison. Elle a grimpé sur un tabouret, elle s'est passé une corde autour du cou et elle s'est pendue. Elle est morte dans la maison, Dominic. Pis si tu fais pas tout c'que maman dit, une bonne nuit, elle va remonter d'la cave pis elle va venir t'attraper par les pieds pendant qu'tu dors! Répète! « Hosanna va venir m'attraper par les pieds pendant que je dors. » Répète!

— Hosanna va venir m'attraper par les pieds pendant que je dors, répéta docilement Dominic en revoyant le faciès bovin de la fondatrice de l'école, son regard sévère, son allure rigide et stricte.

… Ses cheveux foncés coupés à la nuque et retenus sur les côtés par des barrettes nacrées très sombres; les ondulations laquées de sa chevelure…

Une chemise blanche à col haut, un cardigan noir ou marine, une jupe sobre tombant aux chevilles. Des chaussures à talons plats en cuir noir… Point de joliesse, point de bonté.

— Oublie jamais ça, Dominic, conclut Diane en traversant le pont de la rivière aux Fées. En tout temps, à l'école comme à la maison, Hosanna te surveille.

— C'est drôle, remarqua-t-il pour lui-même. Enfant, j'ai jamais consciemment trouvé qu'y avait une ressemblance entre ma gardienne, Adélaïde, pis le portrait de Hosanna. Elles étaient tellement… différentes, même si physiquement elles se ressemblaient… Adélaïde riait tout le temps. On dessinait, on jasait. Elle était… elle était mon amie. Quand ma mère me laissait chez elle, c'étaient des vacances. C'était l'paradis. Pas étonnant que j'aie oublié : le paradis, j'ai arrêté d'y croire de bonne heure.

Une larme roula sur sa joue, et Dominic reprit conscience de Vincent et de Berthe à ses côtés. Où en était-il avant de s'égarer ? Ah oui ! Son père, ses grands-parents…

— Tout ça pour dire qu'Agathe pis Jacinthe, c'étaient pas les premières victimes de ma mère.

Pour la première fois depuis qu'il avait commencé son déballage, Dominic sentit cette sérénité nouvellement conquise l'abandonner.

— Comment j'ai pu bloquer tout ça, Vincent ? Comment j'ai pu ?… demanda-t-il en cherchant vainement une réponse dans le regard de son confrère.

Embarrassé par son dégobillage inopiné, Vincent mettait toutes ses énergies à essayer de se redonner une contenance.

— J'avais une chambre, se rappela Dominic en replongeant sans même en avoir conscience dans le film d'horreur qu'avait été son enfance. Mais j'avais pu l'droit de dormir dedans, après Obi-Wan. La porte de ma chambre barrait pas… c'est vrai, elle barrait pas… J'en ai rêvé, y'a pas longtemps. Elle était barrée, dans mon rêve. En vrai, elle barrait pas, mais ma mère le savait si j'y allais. Elle le savait toujours. Au moins j'avais l'droit d'utiliser les toilettes. C'était probablement juste parce qu'elle avait peur que notre voisin la surprenne à m'envoyer chier dehors. C'est que c'était déjà arrivé à Gérard Surprenant de s'pointer sans s'annoncer. Oui, ça m'revient… Ma mère lui avait gentiment fait comprendre d'appeler avant, sans avoir l'air fâchée, sans même avoir l'air de le critiquer. J'me demande si elle a pas fini par le fréquenter juste pour mieux l'contrôler. Elle avait l'tour. Elle… elle charmait les gens, y'a pas d'autre mot. Avec moi, c'était différent.

Le timbre de Dominic se durcit puis se radoucit aussitôt, comme s'il était apaisé par ce qu'il anticipait.

— C'est quand je l'ai accompagnée jusqu'à l'auto pour récupérer le corps de Jacinthe que j'ai vraiment remarqué le bidon d'essence pour la première fois.

— Mon doux… gémit Berthe qui parlait pour la première fois.

Elle n'ajouta rien d'autre.

— Ma mère arrêtait pas d'me crier que c'était ma faute, reprit Dominic, pis j'me souviens que la seule chose sur laquelle j'arrivais à focaliser mon attention, c'était sur le bidon de plastique rouge. Il était d'la même couleur que la tête de Jacinthe, à côté, mais c'était plus facile de regarder le bidon d'essence. Quand ma mère est partie avec le cadavre dans ses bras, elle a tourné la tête vers moi en m'disant de laver l'auto. J'ai obéi, comme d'habitude. J'ai déroulé le boyau d'arrosage pis j'ai nettoyé le pare-chocs à grande eau en essayant d'pas trop regarder. J'étais comme dans un état second. Ça m'faisait ça, des fois, quand elle me serrait l'bras trop longtemps ou qu'elle me répétait pendant toute une soirée à quel point j'étais… rien. Elle parlait, elle parlait… c'était une vraie litanie. Et il fallait que j'écoute pis que j'réponde « Oui, maman. Non, maman. Je t'aime, maman ».

À cet instant précis, Dominic avait justement l'air d'évoluer dans cet état second qu'il venait de décrire.

— Pour le coffre de l'auto, j'ai juste eu à enlever la bâche tachée. Le coffre était propre. J'ai baissé la porte sans la fermer tout à fait. Mon idée était déjà faite. En tenant la bâche roulée en boule à bout de bras, j'ai été la porter à ma mère, derrière la maison.

Diane lui prit la bâche des mains et couvrit les deux petits cadavres avec, le geste impatient. Une fois l'étroite fosse comblée, elle tapa la terre encore et encore en marmonnant, le regard halluciné.

Ce n'est qu'après que sa mère eut accompli ses basses œuvres que Dominic remarqua le sac de plastique transparent, style Ziploc, appuyé contre les tiges de roses blanches. Sa mère y avait… mis de côté la culotte de Jacinthe et – il mit une seconde à comprendre – une mèche de ses cheveux, le tout baignant dans un bouillon rougeâtre. Dominic se retint de justesse de vomir, mais il sentit un filet brûlant d'acide gastrique lui remonter dans la gorge.

Se retenait-il de vomir depuis tout ce temps ? se demanda-t-il fugacement en tâtant la poche de son jean dans laquelle reposait le tube de comprimés anti-acides.

— *Aide maman à rentrer les bicycles dans la maison ! s'écria sa mère dès qu'elle eut remis la dernière dalle en place.*

— Elle est restée deux heures et demie debout devant la fenêtre d'la cuisine, sans bouger, sans parler. J'ai probablement fait pareil. Elle attendait qu'le soleil se couche. Dès qu'il a fait suffisamment noir à son goût, elle est comme redevenue en vie pis elle m'a encore accroché par le bras pour m'embarrer à la cave.

— *Si tu bouges d'un pouce, Hosanna va se décrocher d'sa corde pis descendre t'rejoindre dans l'escalier, menaça Diane en le lâchant en haut des*

marches du sous-sol. Ou préfères-tu aller rejoindre
ton chien dans l'cagibi? Hein?

— *Non! NON! supplia Dominic en sanglotant*
pour une rare fois.

— *Bon ben, bouge pas jusqu'à temps que maman*
revienne!

— Elle a dû passer par le bois vers le nord, vers
chez Gérard Surprenant, avec son sac de plastique.
Je… je suis pas certain si j'ai réalisé qu'est-ce qu'elle
comptait faire. Probablement pas. C'était trop tordu.
Mais ç'a dû être facile de placer les preuves sans
être vue. De toute façon, si Surprenant avait surpris
ma mère à rôder, j'suis convaincu qu'elle aurait réussi
à l'embobiner. Derrière ses allures de sainte, elle
avait l'tour.

En rentrant, Diane déverrouilla la porte de la
cave puis s'attela aux préparatifs de son souper sans
avoir pris la peine d'ouvrir à son fils.

Lorsque les pas se furent éloignés, Dominic se
faufila hors de sa geôle en remerciant le ciel que le
fantôme de Hosanna ne se soit pas manifesté.

— Vers neuf heures du soir, la police a commencé
son porte-à-porte. On était la première maison du
Rang 2, ça fait que ça a pas été long qu'ils étaient
chez nous. Ma mère les a enjôlés dans l'temps d'le
dire avec son air épouvanté. Moi, j'étais dans sa
chambre. Défense de descendre ou de faire un son.
Officiellement, je dormais.

— *Voulez-vous que je réveille mon fils? On est*
allés à l'épicerie en milieu de journée et on est ren-
trés directement après, mais on sait jamais… Non?
Vous êtes certains? Seigneur, j'espère qu'il leur est
rien arrivé…

— Et ça s'est arrêté là. Quèqu' minutes après,
c'était au tour de Gérard Surprenant. Un des agents a

repéré la trace de sang près du coffre de son auto. Cette nuit-là, j'ai attendu, attendu, couché sur le plancher d'bois dur de la chambre de ma mère. Fouillez-moi pourquoi, ça lui prenait jamais d'temps à s'endormir. Être elle, j'aurais pas pu dormir. J'aurais pas eu l'cœur…

Tourne les pages de l'album. Pause. La photo prend vie.

— Mais même en sachant ça, même en sachant qu'elle s'endormait vite, j'ai attendu assez longtemps pour être certain qu'elle dorme dur. J'ai attendu ben après que sa respiration est devenue régulière, jusqu'à ce que je l'entende ronfler doucement. Ça, ça trompait pas. Alors j'me suis levé en suant sur chaque planche du parquet tellement j'faisais attention pour pas en faire craquer une. Arrivé à la porte, je l'ai entrouverte en suant le peu qu'y m'restait à suer. Les gonds qui grinçaient, ma mère aimait ça. Tout c'qui pouvait me trahir, elle aimait ça. Alors j'ai ouvert la porte juste ce qu'il fallait, en me rentrant le ventre pis en retenant mon souffle. Comme une souris : si la tête passe, le corps passe. J'ai longé la lisière des marches en frôlant la cloison, où l'escalier craquait pas. Arrivé en bas, avant d'aller dehors, j'ai été chercher des allumettes dans la cuisine. Ma mère les gardait dans un tiroir près du four, avec les chandelles, en cas d'panne d'électricité. Finalement, j'ai été récupérer le bidon d'essence dans le coffre de l'auto que j'avais mal fermé exprès. C'était pesant pour un p'tit gars de huit ans, laissez-moi vous dire ça.

Vincent et Berthe écoutaient, à la fois horrifiés et peinés.

— Revenu dans l'entrée, j'ai voulu ouvrir le bouchon, pis ça non plus, ç'a pas été simple. Mais dans mon for intérieur, je savais que j'aurais pas d'autre chance, que folle comme 'était rendue, elle finirait par me tuer avant longtemps. Avant longtemps, peut-être qu'elle ferait pas juste semblant de m'frapper la tête avec une roche. Ça fait que j'ai forcé sur ce bouchon-là comme si ma vie en dépendait en me disant que, probablement, ma vie en dépendait. Pis j'ai réussi. J'ai placé l'embout verseur et j'ai revissé tout ça en m'appliquant. Je… je savais c'que j'voulais faire. Je l'comprenais. Je comprenais la portée de l'acte que je m'apprêtais à commettre. J'étais conscient que j'allais tuer ma mère, que j'allais la brûler vive, mais… mais c'était comme si c'était pas moi, en même temps. C'était… c'était l'enfant-chien qui agissait. C'était l'enfant-chien qui essayait d'se sortir du cagibi avant d'crever là. Vous comprenez ?

Dominic n'attendait pas vraiment de réponse. Il ne regardait même pas Vincent. Il regardait le bidon d'essence dans sa main.

— J'ai commencé à verser l'essence en traçant les contours du vestibule pour bloquer l'accès à la porte d'entrée, au salon et à la cuisine, et donc aux fenêtres. J'ai arrosé autour de la base de l'escalier, pas trop, puis les marches en montant en faisant encore attention à longer la cloison. En coulant, l'essence produisait juste un p'tit bruit mouillé, comme le bruit d'un ruisseau, de loin. À mesure que le galon s'vidait, ça devenait plus facile. Mais j'ai quand même gardé la moitié du galon pour la chambre de ma mère. Au cas où elle se réveillerait, je me suis penché devant la porte entrebâillée et j'ai laissé le contenu du galon s'écouler en rigole sur le plancher de bois. Pis comme elle continuait de ronfler doucement, je suis rentré sur la pointe des pieds puis j'ai glissé le galon et ce qu'y restait dedans sous le lit. Je suis sorti à reculons en la regardant dormir.

Diane Chartier dormait d'un sommeil profond et sans rêve, convaincue que personne ne viendrait l'inquiéter.

— Jusqu'à la dernière minute, j'étais certain qu'elle se réveillerait pis qu'elle m'enfermerait dans l'cagibi d'la cave avec les bicyclettes pis le petit squelette d'Obi-Wan. Mais elle s'est pas réveillée. Pour la première fois depuis longtemps, j'ai osé ouvrir la porte de ma chambre. Ça sentait bon parce que ma mère continuait d'la laver régulièrement pis de changer les draps. Oui... ça sentait bon. Ça sentait pas l'essence. J'suis entré dans ma chambre, dans la chambre de Dominic, pas dans celle de l'enfant-chien, pis avant de refermer la porte derrière moi, j'ai craqué une allumette.

Il s'arrêta et regarda Vincent, puis Berthe.

— C'est certain que j'revois ça avec mes souvenirs de ti-cul, mais j'vous jure, la maison s'est embrasée d'un coup. J'ai senti mon toupet roussir. Dans la chambre à côté, y'a eu une détonation quand l'feu a atteint l'bidon d'essence. Elle a pas eu l'temps d'crier. Si l'voisin, monsieur Lafontaine, était pas rentré si tard de sa partie d'poker, probablement que l'incendie serait passé inaperçu jusqu'au lendemain matin. Quand il m'a *spotté* à la fenêtre de ma chambre, il a dû penser que j'avais trop peur pour sauter. Il m'a crié à pleins poumons : « Saute, mon beau garçon ! J'vas t'attraper. J'te promets que j'vas t'attraper. » Il a tenu parole. Rendu là, j'avais respiré beaucoup d'boucane. Pis j'avais pus l'intention de m'enfuir. J'avais pus l'impression de l'mériter. Mais d'entendre un inconnu m'dire « mon beau garçon » alors que ma propre mère me traitait d'chien... J'ai pogné d'quoi. Ça ma... ébranlé. 'Fait que j'ai sauté. Pis y m'a attrapé. Il a dû s'faire un tour de reins, mais il m'a attrapé.

J'avais l'visage mouillé… J'ai pensé que c'étaient des larmes, et puis j'ai réalisé qu'il s'était mis à pleuvoir. J'ai perdu connaissance presque tout d'suite.

Dominic lâcha la main de Berthe et fit un pas vers la roseraie, puis il se retourna vers les ruines de son enfance que l'averse avait fini par éteindre.

— Quand je suis revenu à moi sous la tente à oxygène à l'hôpital de Nottaway, les infirmières, les médecins, tout l'monde était aux p'tits soins avec moi. Dans ma tête, c'était comme un gros trou noir. Puis les gens ont commencé à venir. Vous, Berthe… On m'plaignait. Perdre sa mère comme ça… Un orphelin… J'ai été placé en centre d'accueil en sortant.

Incapable d'en prendre davantage, Berthe éclata en sanglots, qu'elle se força presque tout de suite à contenir, comme si elle se jugeait indigne de pleurer après s'être laissé ainsi berner.

Cette pensée attrista Dominic.

— C'est pas votre faute, Berthe, dit-il en tournant la tête dans sa direction.

— C'est pas ça, dit-elle. Je… J'aurais tellement voulu t'adopter, à l'époque, mais avec Euclide qui buvait et qui… J'aurais pas pu risquer qu'il te frappe toi aussi. Quant à Adélaïde…

— C'était pas possible, je sais. Elle… elle était pas là à l'enterrement, j'me trompe ?

— Elle n'a pas eu la force, répondit Berthe. Elle avait déjà compris que tu… que tu partirais. Qu'on t'emmènerait loin. Ç'a été un deuil, ça aussi. Mais… on s'est appuyées l'une sur l'autre. Je l'ai consolée de ton départ et elle m'a consolée de celui de Diane.

En disant cela, Berthe se remit à sangloter de plus belle.

— Quand j'y pense ! Un tel monstre ! Je n'ai rien vu ! Rien !

— Berthe, répéta Dominic d'un ton calme, paisible. Y'a rien de tout ça qui est votre faute. Rien. Et mes foyers d'accueil ont été ben corrects. Maintenant, j'comprends pourquoi ça m'paraissait pas si mal. N'importe quoi valait mieux que c'que j'avais connu jusque-là, même si j'm'en souvenais pus. Mais là, j'me souviens. J'ai tout… récupéré c'que j'avais perdu. La travailleuse sociale m'a emmené à l'enterrement de ma mère. La communauté s'est cotisée pour un cercueil vide. Berthe, vous avez fourni une photo encadrée, j'me souviens, là. C'était la photo dans l'cadre ovale…

Il n'en dit pas plus, par respect, par pudeur.

Dominic revoyait le défilé de citoyens endeuillés ; les larmes sincères, et surtout l'incompréhension, si tôt après la disparition des deux fillettes… S'il n'avait pas déjà été incarcéré dans l'attente de son procès, Gérard Surprenant aurait été lynché.

— …*tellement jeune*…

— …*tellement belle*…

— …*pauvre enfant*…

— Tout l'monde est venu m'dire à quel point ma mère était extraordinaire. À quel point Diane Chartier était extraordinaire. Une femme dévouée, généreuse, douce. Une institutrice exemplaire, un modèle d'esprit communautaire et de civisme. Je devais avoir besoin d'y croire, parce que j'y ai cru. J'ai tout gobé. Tout. Mais y'avait des images qui remontaient… des traumatismes… des sévices… L'image de Hosanna s'est imposée. Parce que ça pouvait pas être ma mère. Ça pouvait juste pas. Quel genre de mère traite son enfant comme ça ? Ça prend un monstre, comme vous venez de le dire. Alors j'en ai conjuré un.

Maladroitement, Vincent esquissa l'ébauche d'un geste vers Dominic mais s'arrêta à mi-parcours. Par respect. Par pudeur.

Concentré sur les vestiges du sinistre, Dominic n'en eut pas conscience. Berthe, elle, s'était calmée. Elle regardait Dominic avec dans le regard un mélange d'admiration et d'attendrissement.

— Cette nuit-là, j'ai laissé l'enfant-chien mourir dans les flammes avec sa chienne de mère. J'me souviens de toute, répéta Dominic, soulagé d'avoir tout sorti.

Puis, reportant son attention sur l'emplacement de la serre, il demanda :

— As-tu une pelle dans ton char, Vince ? Y'a deux p'tites qui méritent d'être enterrées comme du monde.

Vincent se rendit à sa voiture de patrouille complètement sonné par tout ce qu'il venait d'entendre.

Laissés seuls, Dominic et Berthe se jaugèrent mutuellement.

— Comment vous vous sentez, Berthe ?

Dominic était sincèrement inquiet pour elle. Pareil choc pouvait avoir de graves répercussions, à son âge.

— Ne t'inquiète pas pour moi, mon grand. J'en ai vu d'autres. Là, tu vas apprendre à te soucier un peu plus de toi. C'est un devoir que te donne ton ancienne maîtresse d'école. Compris ?

Dominic lui rendit ce sourire lumineux qui, contre toute espérance, avait de nouveau réussi à se frayer un passage sur le visage de Berthe.

— Compris, dit-il.

Vincent revint avec la pelle qu'il gardait en permanence dans son coffre. Il allait s'aventurer dans les ronces en tendant sa lampe de poche à Dominic lorsque ce dernier le retint.

— Donne-moi la pelle, à' place, dit-il d'un ton calme.

Après avoir dégagé les dalles enfouies sous trente ans de végétation, Dominic les enleva morceau par morceau puis, précautionneusement, il entreprit d'exhumer les deux dépouilles, Vincent l'éclairant avec leurs deux lampes.

Au bout de cinq minutes, le faisceau révéla deux petits crânes dont l'un avait été défoncé à la hauteur du lobe frontal.

Non loin d'eux, Berthe pleurait doucement.

— J'vais *caller in*, dit Vincent en s'éloignant avec son téléphone.

Dominic posa la pelle sur le sol et dégagea le reste des ossements à la main.

— J'm'excuse, souffla-t-il lorsque ses doigts effleurèrent le petit crâne défoncé.

— Y s'en viennent, annonça Vincent sans pouvoir détacher son regard de la fosse. Ça va, Berthe ?

Elle acquiesça en se séchant les yeux.

— Pis toi, Dominic ?

— Ça va.

Sa mère avait envoûté toute la ville. Il espérait simplement que le dévoilement de la mystification ne coûterait pas une ou deux des précieuses années de vie qui restaient à Berthe. Se souvenant du « devoir » qu'elle lui avait donné, Dominic s'obligea à se dire que ce bout-là ne lui appartenait pas.

— Pour les vélos, dit-il en se relevant, ils auront juste à tasser les décombres d'un bord ou de l'autre d'la maison pour dégager la cave. Le cagibi est creusé dans l'mur est du solage. Les ossements d'Obi-Wan seront pus là, mais les deux bicycles, oui. Y vont être rouillés mais identifiables. De toute façon, avec les dépouilles pis mon témoignage…

— Qu'est-ce que tu comptes dire, Dominic ? demanda Vincent.

— À part c'qui concerne la vie privée de Berthe, ben… tout c'que j'viens d'vous conter à tous les deux.

— Toute ?

— Ben oui. Toute. Tu trouves pas que j'me suis assez caché ?

— Tu t'es jamais caché, Dom, s'emporta Vincent. Fernand Duguay s'est caché. Pas toi. Toi, t'as survécu. T'as été résilient.

— Résilient ? Tu iras dire ça à Gérard Surprenant ! explosa Dominic, dégoûté de lui-même et honteux.

— Y va finir ses jours dehors, Dom. Dans les circonstances, y va être blanchi dans l'temps d'le dire, pis y va pouvoir réclamer trente ans de dommages et intérêts.

— J'suis certain qu'il va être ben, ben heureux d'apprendre ça, ironisa Dominic, des larmes de rage mouillant sa barbe de trois jours et des poussières.

— Dom…

— J'ai brûlé ma mère, criss ! Je l'ai brûlée vive !

— C'est ça qu'on faisait aux sorcières, dans l'temps, répliqua Vincent avec conviction. Pis c'en était une !

— Les sorcières ? Elles étaient innocentes la plupart du temps, Vince. Berthe, raisonnez-le.

— Ta mère n'était pas innocente, Dominic, répondit l'ancienne amie de Diane Chartier.

— Pas après qu'elle a tué deux p'tites filles, dont une de sang-froid ! renchérit Vincent. Pis pas après qu'elle a passé, quoi… deux ans, à te traiter *littéralement* comme un chien. Tu t'souvenais pas parce que ça t'aurait probablement tué de t'souvenir avant. Tu l'as dit toi-même : si ç'avait pas été du voisin pis d'une simple parole gentille, tu te serais laissé mourir dans l'feu ! T'as été résilient, j'te dis.

— Vincent, j'apprécie c'que t'essaie d'faire, dit Dominic avec lassitude, mais là, tes collègues s'en viennent, pis j'vais leur dire…

Le sergent-détective Parent prit alors le relais de ce qui serait dit dans une proposition inversée de la scène chez Fernand Duguay juste avant la cueillette du corps du suicidé.

— Tu vas leur dire que ta mère était folle, qu'elle donnait l'change en public mais qu'elle te maltraitait, qu'elle a renversé la p'tite Jacinthe Lussier en auto, qu'elle a paniqué pis caché l'corps, pis qu'elle a vu Agathe pis qu'elle l'a tuée pour pas que la petite parle. Tu vas dire la vérité, mon Dom.

— Pis pour l'incendie…

— Pis pour l'incendie, tu peux dire c'que tu veux, mais dans mon rapport, ça va être écrit qu'ta mère a réalisé c'qu'elle avait fait pis qu'elle serait sûrement prise. Dans un dernier épisode psychotique, elle s'est immolée. Un gros bidon d'essence plein, c'est ben trop lourd à porter pour un p'tit gars d'huit ans, conclut Vincent sans appel.

Dans le regard déterminé de son nouveau copain, Dominic perçut, l'espace d'une seconde, la même lueur bienveillante qu'il avait vue dans les yeux de monsieur Lafontaine avant de sombrer, trente ans auparavant.

Sans mot dire, Berthe revint lui prendre la main.

— Ça s'tient comme histoire, admit Dominic en détournant les yeux de la maison maudite. Ça s'tient… C'est juste que… Je sais pas si j'vas pouvoir vivre avec ça…

— Dominic, dit Berthe d'une voix douce mais ferme. Un jour, un homme que je respecte beaucoup a partagé avec moi une pensée pleine de sagesse. Selon lui, parfois, pour faire le bien, il faut presque faire le mal. La nuance est bien sûr dans le « presque ». Et je trouve cette pensée-là pleine de bon sens.

ÉPILOGUE

Vendredi 28 décembre 2012, peu après treize heures – Dominic ralentit en arrivant à la hauteur du pont de la rivière aux Fées. Après avoir immobilisé son véhicule, il mit le nez dehors, content de sentir le froid sec.

Un soleil d'hiver presque aussi blanc que la neige alentour dardait le panorama assoupi de ses chauds rayons.

Sans se presser, Dominic gagna la rambarde du pont et contempla un moment le long sentier immaculé et poudreux sous lequel couraient les fées jamais au repos. Après une hésitation, il fit mine de passer par-dessus la rambarde, histoire de savoir une fois pour toutes ce que cela faisait.

Sortie de nulle part, une main potelée, rêche mais chaleureuse, se posa sur la sienne.

— Non, mon beau garçon, lui souffla Adélaïde à l'oreille. Continue d'être gentil, pis d'être écoutant.

Dominic tourna la tête de quelques degrés. Ébloui par le soleil, il plaça sa main en visière au-dessus de ses yeux.

Le pont était désert.

Après avoir esquissé un sourire, Dominic remonta dans sa voiture et prit à gauche tout de suite après le pont.

Vincent venait tout juste de déneiger son entrée de cour lorsque Dominic la remonta.

La porte sectionnelle de son garage remontée, le sergent-détective Parent finissait à peine d'y remiser sa souffleuse. En voyant son ami arriver, Vincent lui envoya une main chaussée d'une mitaine de fourrure grise bien chaude assortie à ses habits de motoneige noirs striés d'une bande argentée.

Avant de descendre de voiture, Dominic jeta un dernier coup d'œil à la boîte de carton posée sur le siège du passager, gracieuseté de Berthe. Elle était remplie à ras bord de dessins pleins de couleurs et de gaîté. Avec Adélaïde, brièvement, son enfance avait aussi été cela : colorée et gaie. Le printemps venu, il irait fleurir sa tombe.

Au printemps…

— Ah ben ! C'est rendu qu'les rats des villes ont pus peur du frette ! cria Vincent dès que Dominic ouvrit sa portière. Heille, cinquante centimètres de neige à Montréal ! C'est rendu qu'vous en recevez plus que nous autres !

— Quin ! Attrape ça, le smatt', répliqua Dominic en lui lançant un grand thermos métallique. J'suis arrêté nous prendre une réserve de café chez Linda, en arrivant. Ah pis Berthe fait dire que si on attrape du doré, elle va nous les cuisiner en filets, mais que si c'est du brochet, ça va finir en soupe au poisson. J'peux pas croire que tu m'as convaincu d'aller à' pêche sur la glace ! J'aime autant l'plein air que toi t'aimes les gratte-ciel, ronchonna-t-il encore.

— Bah, bah, bah ! On va faire un homme de toi, dit Vincent en venant le rejoindre avec le thermos. Sinon, ben, t'auras juste à boire ta bière au côté du poêle pis à m'laisser pêcher. Pis t'as pas d'*suit* de skidoo, comme de raison ! T'es chanceux qu'j'aie toute en double.

— Moi qui pensais m'en sauver, plaisanta Dominic en ouvrant la portière arrière de sa berline charbon.

Un jeune saint-bernard en sortit en secouant la queue.

En le voyant s'ébattre dans la neige, Vincent étouffa un fou rire.

— Dis-moi pas qu'tu l'as appelé Chubaka !? s'enquit-il en venant serrer la main de son ami.

Dominic ne répondit pas tout de suite et inspira plutôt une grande goulée d'air froid et sec. Revigoré, il regarda à la ronde sous l'œil amusé de Vincent. Lorsque ses yeux se posèrent sur la portion sud-est de la forêt derrière laquelle se dressait autrefois une grande maison dont il ne restait plus la moindre trace hormis un vaste rectangle de terre fraîchement retournée sous la neige, Dominic annonça, le ton confiant :

— Non. Je l'ai appelé Gandalf. J'ai changé d'univers.

REMERCIEMENTS

... à Catia Cisca, Marilou Gagné et Sébastien Aubry, pour les informations procédurales précieuses.

... à Chrystine B., pour les bonnes bouffes et le renforcement positif.

... à Roger E., pour les conseils et les encouragements.

... à tous les cinéastes qui contribuent à faire de mon existence un long et beau rêve éveillé.

FRANÇOIS LÉVESQUE...

... est né en 1978, en Abitibi-Témiscamingue. Fasciné dès son plus jeune âge par les arts en général et le cinéma en particulier, il se découvre une passion pour l'écriture durant sa Maîtrise en études cinématographiques. Après que plusieurs de ses nouvelles eurent successivement été publiées, notamment dans la revue *Alibis*, sa trentième année voit la parution de deux romans dont le premier, *Matshi l'esprit du lac*, remporte le prix Cécile-Gagnon 2009. François Lévesque est critique de cinéma au journal *Le Devoir* et à l'agence de presse *Mediafilm.ca*.

EXTRAITS DU CATALOGUE

Collection « GF »

VOUS VOULEZ LIRE DES EXTRAITS
DE TOUS LES LIVRES PUBLIÉS AUX ÉDITIONS ALIRE ?
VENEZ VISITER NOTRE DEMEURE VIRTUELLE !
www.alire.com

Une maison de fumée
est le cent quatre-vingt-seizième titre publié
par Les Éditions Alire inc.

Il a été achevé d'imprimer
en septembre 2013 sur les presses de

MARQUIS

Imprimé au Canada

Imprimé sur Rolland Enviro100, contenant
100% de fibres recyclées postconsommation,
certifié Éco-Logo, Procédé sans chlore, FSC
Recyclé et fabriqué à partir d'énergie biogaz.